100 % féminin

Le Girls' Book

Tout ce qu'elles adorent de 7 à 77 ans !

LAROUSSE

« À la plus audacieuse des filles que je connaisse : ma grand-mère Margaret Mullinix. » A. B.
« À mes filles, Samira et Amelia Jane. » M. P.

Cet ouvrage est l'adaptation française de *The Daring Book for Girls*.

Les auteurs reconnaissent s'être inspirées du concept du *Dangerous Book for Boys* de Conn et Hal Iggulden, qu'elles remercient pour leur aimable autorisation.

Édition française

21, rue du Montparnasse
75006 Paris

Direction de la publication : Isabelle Jeuge-Maynart
Direction éditoriale : Carine Girac-Marinier
Conception graphique : Laurent Carré
Édition : Elsa Courson

Traduction : Françoise Fauchet

Dessins des pages 1, 3, 4 (hd), 8 (m), 10, 11, 13, 16 (bd), 17, 19, 21 (hd, bg), 22, 24 (bd), 25, 26, 28, 30 (bg), 32, 34, 35 (hd), 36 (bg), 37, 38, 39 (citrons, guichet), 40, 41, 42, 43, 44, 45, 48, 50, 55 (horloge et citrons), 56 (hg), 57 (bd), 58 (hg), 59 (hd), 60 (m), 62, 63, 64, 65, 66 (boussole), 67 (bandana), 69 (bd), 70 (md), 72 (feu), 75, 76, 77, 81, 82 (hg), 84 (hd, mg), 85 (hg), 87 (mg), 88, 89, 92, 93, 96 : Alexis Seabrook.

Dessins des pages 2, 6, 7, 8-9 (modèle de pliage), 12-13 (étoiles, Lune, oreiller), 15, 18, 27, 29, 33, 39 (sucrier), 46-47, 55 (piles), 56-57 (cartes), 66 (loupe), 68, 69 (ampoule, lampe de poche), 72 (couteau suisse, lampe de poche, boîte d'allumettes), 73, 74, 76-77 (fléchettes), 79, 82-83, 86 : Alain Boyer.

Mise en page : Stéphanie Benoit
Lecture-correction : Tristan Grellet
Recherche iconographique : Valérie Perrin
Fabrication : Nicolas Perrier, Martine Toudert

Couverture : illustrations (danse, chaussures, visage) d'Alain Boyer, croquis (silhouette, fille à la loupe, jeux de mains) d'Alexis Seabrook et photographie (mg) coll. Archives Larousse (reprise en page 1).

Par précaution, certaines activités proposées dans ce livre nécessitent la surveillance d'un adulte.

ISBN : 978-2-03-584111-7
Imprimé en Chine par C&C.
Dépôt légal : août 2009
301998-03/11010039-octobre 2009
Conforme à la loi n° 49 956 du 16 juillet 1949 sur les publications destinées à la jeunesse.

Andrea J. Buchanan
et Miriam Peskowitz

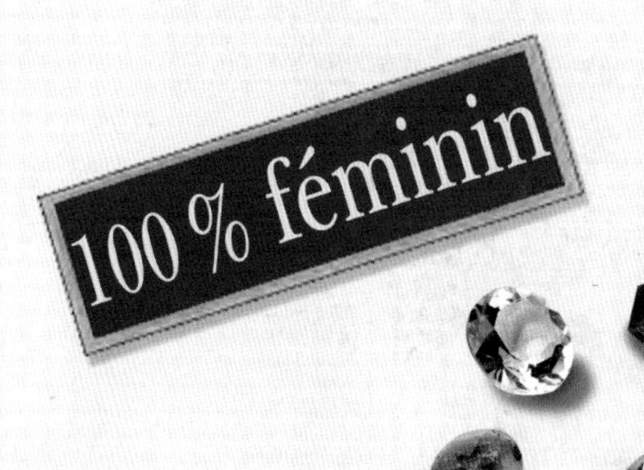

LAROUSSE

Le Girls' Book

Pour les femmes de 7 à 77 ans

Tu trouveras dans ce livre mille et une idées et suggestions pour explorer le monde en t'amusant. Pour cela, il suffit d'un zeste d'audace et de beaucoup d'imagination ! Grâce à ce fabuleux recueil d'activités qu'est Le Girls' Book, tu pourras :

- **Apprendre** à pêcher au filet, à réaliser un herbier, à faire un feu de camp, à lire les lignes de la main, à peindre à l'aquarelle ;
- **Fabriquer** des fleurs de papier, des couronnes de marguerites, une lampe de poche, des bracelets brésiliens, une pile au citron, un presse-fleurs, une bague, un sifflet ;
- **Construire** une cabane, une balançoire, une planche à roulettes, une trottinette ;
- **Reconnaître** les étoiles, les oiseaux, les fleurs et les arbres, les empreintes des animaux ;
- **Être incollable** sur Jeanne d'Arc, Cléopâtre, les grandes exploratrices, les espionnes ;
- **Jouer** aux cartes, à chat, à la marelle, à la corde à sauter, à l'élastique, au basket ;
- **T'exercer** aux rollers, à la danse, à la gymnastique, au yoga, à la calligraphie ;
- **Savoir parler** en public, organiser des soirées pyjama, raconter des histoires de fantômes.

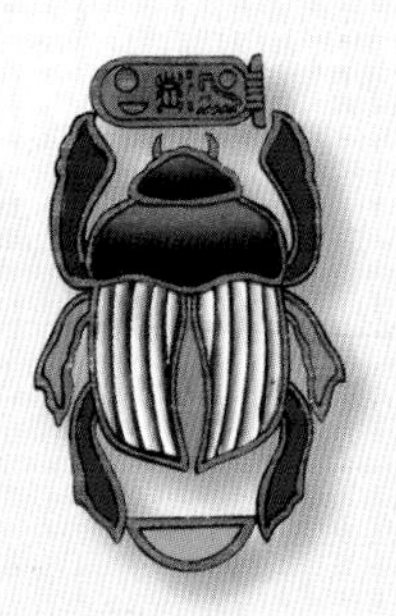

Au fil des pages, de nombreuses animations te permettront de réaliser des origamis et un magnifique herbier, d'identifier des arbres, des fleurs ou des empreintes d'animaux, de collectionner des modèles de lettres, des chansons, des comptines, des recettes gourmandes... et même de t'exercer à jouer aux cartes !

Sommaire

Kit de base

Pour commencer, voici quelques objets indispensables. Mieux vaut les avoir sur soi pour ne jamais être prise au dépourvu !

Un couteau suisse

Voilà un outil de survie primordial, indispensable pour l'exploration et le camping. Muni d'un tire-bouchon et de bien d'autres accessoires comme une loupe, une lime à ongles, un décapsuleur, une paire de ciseaux et une pince à épiler, il présente en outre l'avantage de tenir dans la poche. Sa lame se nettoie à l'eau savonneuse en tenant le couteau loin de soi et des autres. De temps à autre, on peut lui appliquer une petite goutte d'huile mécanique pour la nourrir et éviter qu'elle ne rouille.

De la corde et de la ficelle

On peut faire des tas de choses avec une simple corde (pour peu que l'on connaisse quelques nœuds), notamment se sortir d'affaire, le cas échéant, ce qui n'est pas totalement négligeable !

Un tendeur

Pour sangler toutes sortes d'objets lorsque l'on part à l'aventure.

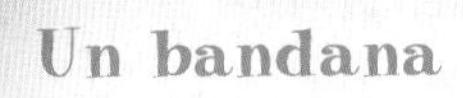

Un bandana

Il peut servir à se couvrir la tête, à protéger un trésor ou encore à envelopper un cadeau. Attaché à un bâton, il permet d'emporter ses plus précieux trésors quand on part à l'aventure.

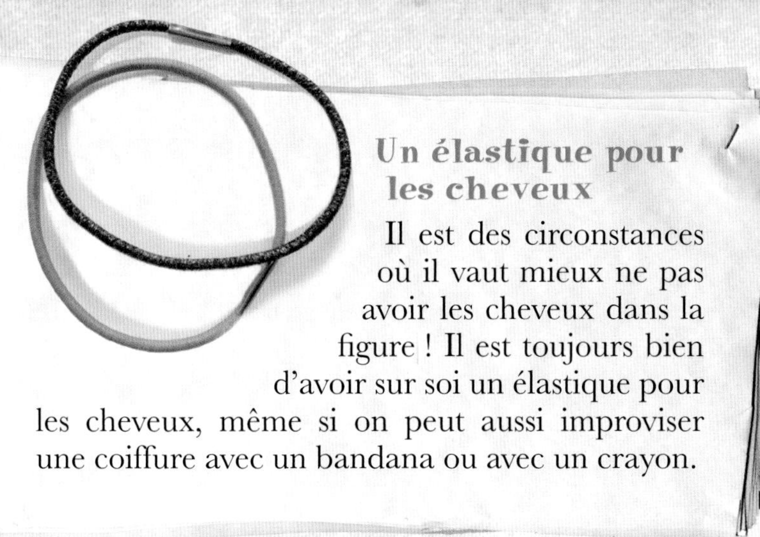

Un élastique pour les cheveux

Il est des circonstances où il vaut mieux ne pas avoir les cheveux dans la figure ! Il est toujours bien d'avoir sur soi un élastique pour les cheveux, même si on peut aussi improviser une coiffure avec un bandana ou avec un crayon.

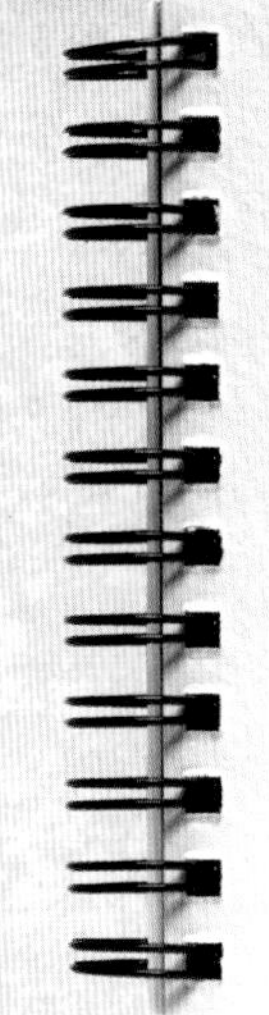

Un carnet et un crayon

La vie est faite de souvenirs : un petit dessin d'oiseau ou de plante, une liste de vœux, une idée importante. Autant avoir de quoi les noter. Un bloc et un crayon permettent aussi de jouer les Mata Hari ou d'écrire le roman du siècle.

Une boussole

Pour savoir où l'on est, rien ne vaut une boussole. Tu peux l'accrocher autour de ton cou avec un sifflet.

Une lampe de poche

Indispensable quand on dort dehors. Un petit morceau de Cellophane rouge devant l'ampoule, et les histoires de fantômes donneront vraiment la chair de poule. On peut aussi utiliser une lampe frontale, qui a l'avantage de libérer les mains.

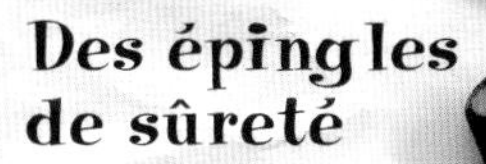

Des épingles de sûreté

Il est pratique d'en avoir sous la main pour les petits raccommodages. Ornée de quelques perles, tu peux l'offrir en témoignage de ton amitié éternelle.

Un rouleau de ruban adhésif

Il vaut mieux le choisir bien large et très solide pour qu'il puisse fixer quasiment tout. Il est indispensable pour construire une cabane.

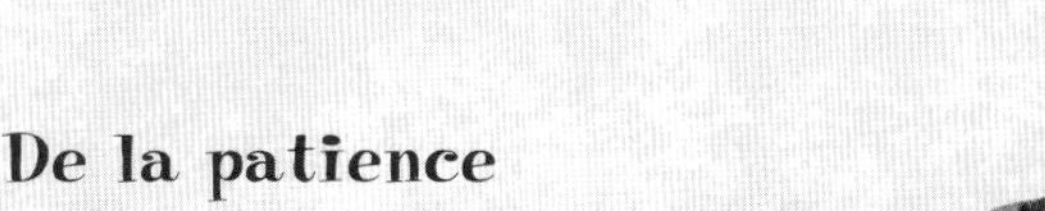

De la patience

C'est une qualité essentielle. Impossible d'être parfaite du premier coup. Si tu sens que tu t'énerves, respire à fond plusieurs fois et rappelle-toi qu'on peut arriver à tout faire dès lors qu'on s'est entraîné des centaines de fois !

Un jeu de cartes et un bon livre.

Au cas où il se mettrait à pleuvoir !

Faire des fleurs de papier

Il te faut :
* Une feuille de papier
* Un crayon
* Une paire de ciseaux
* Un grand récipient d'eau

Pour faire éclore une fleur de papier, trace un large cercle sur la feuille, puis des triangles tout autour pour les pétales. Découpe cette forme et referme les triangles sur le dessus. Pose la fleur fermée dans le récipient, à la surface de l'eau, et observe ce qui se produit : la fleur s'ouvre sous l'effet de ce qu'on appelle la capillarité. L'action capillaire désigne la capacité d'un objet à attirer quelque chose à l'intérieur de lui-même – comme une éponge ou une serviette en papier absorbent les liquides renversés. Quand ta fleur en papier est posée sur l'eau, le papier absorbe l'eau par capillarité. Les pétales se déploient parce que les fibres du papier se gonflent d'eau.

Le phénomène capillaire ne se limite pas aux expériences scientifiques, ni au nettoyage des tables – il intervient aussi dans notre corps puisqu'il permet la circulation du sang et même l'évacuation des larmes générées en permanence par les yeux. Pour ce qui est des vêtements, certains tissus absorbent la sueur par capillarité. Tu peux répéter l'expérience avec d'autres types de papier pour observer ce phénomène en fonction des matières (papier cartonné, papier aquarelle, papier-calque ou papier de soie).

LE SAVAIS-TU ?

Le premier article publié en 1901 par Albert Einstein dans la revue allemande Annales de physique s'intitulait "Conclusions sur les phénomènes capillaires".

Origami pour réaliser une fleur en papier

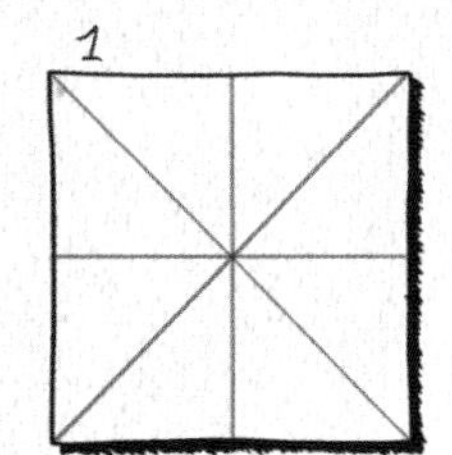

1 Marque les plis des côtés et des diagonales du carré de papier.

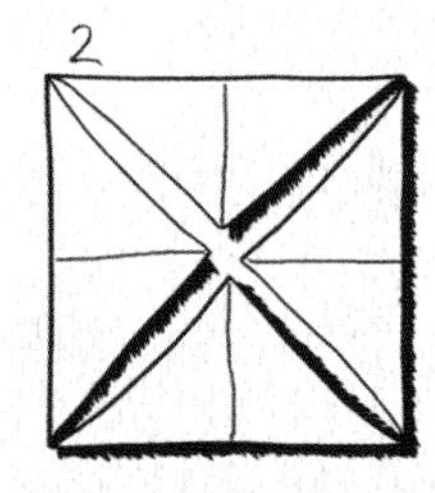

2 Replie les quatre coins du carré vers le centre.

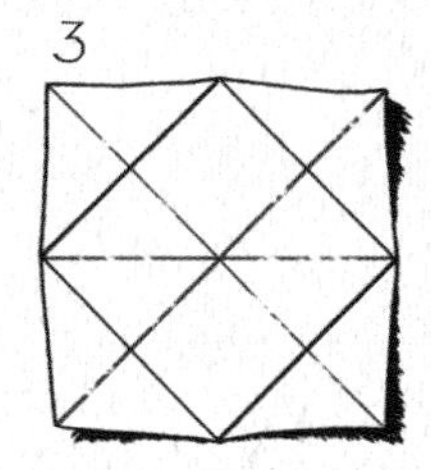

3 Déplie.

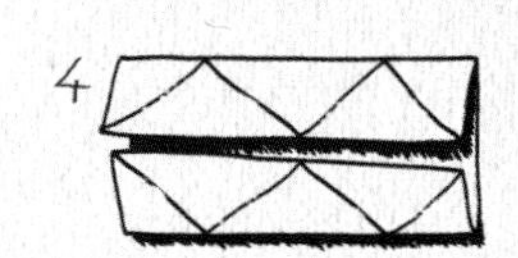

4 Replie en deux les rectangles du haut et du bas sur la ligne de pliage du milieu.

5 Déplie, puis fais de même avec les rectangles de gauche et de droite.

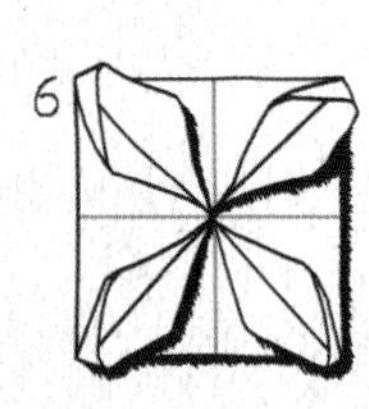

6 Déplie, puis place les centres de chacun des côtés au centre de la feuille. Cela donne quatre petits becs, qui pointent sur le dessus.

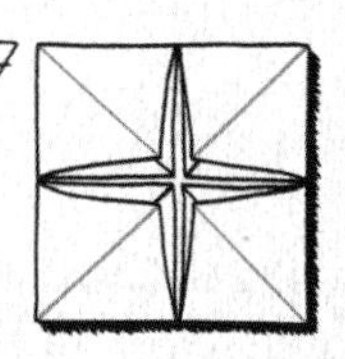

7 Aplatis ces quatre becs en plaçant les pointes au cent
Tu obtiens quatre carrés sur le dessus du pliage.

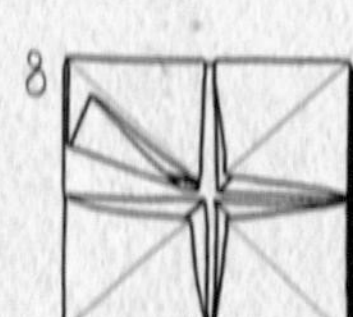

Sur chacun d'eux, replie les côtés le long de la ligne diagonale, comme sur le modèle.

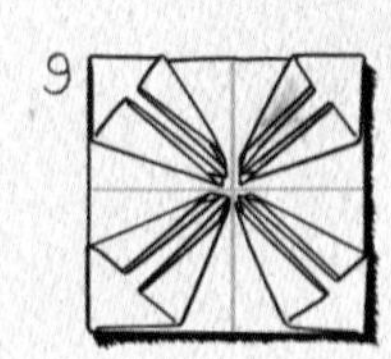

Tu obtiens huit petits triangles sur le dessus du pliage.

Ouvre tous les triangles et aplatis-les comme ci-dessus.

Enfin, replie les coins du grand carré sous la fleur.

Fais éclore une fleur en papier
et réalise une fleur en origami.

Exercices de yoga

Le mot yoga vient du sanskrit et signifie littéralement « jonction ». En effet, dans la salutation au soleil, comme dans de nombreux exercices de yoga, le mouvement est joint à la respiration. Dans sa forme la plus simple, la salutation au soleil – surya namaskara en sanskrit – est un enchaînement de douze postures (asanas) reliant le mouvement à l'inspiration et à l'expiration. Le plus important à garder à l'esprit quand on pratique le yoga, c'est la respiration. Il faut inspirer dans l'extension ou l'étirement et expirer dans la flexion ou la contraction. Pour respirer pendant l'exercice, rentre le ventre, comme si ton nombril était aspiré vers la colonne vertébrale. Respire alors profondément par le nez, en gardant la bouche fermée. Le ventre reste contracté, tandis que ta poitrine se gonfle et se resserre alternativement, à chaque inspiration et expiration.

Traditionnellement, la salutation au soleil s'accomplit au lever du soleil. Si tu ne tiens pas absolument à te lever avant l'aube et à t'installer face à l'est pour rendre hommage au dieu du Soleil, contente-toi de faire cet exercice à ton réveil ou – pourquoi pas ? – dès que tu ressens le besoin de te détendre.

Si tu n'as pas de tapis de gymnastique, prends une grande serviette de bain et étends-la sur le sol.

1 Dans la posture tadasana, ou posture de la montagne – les pieds et les orteils bien à plat sur le sol, les bras le long du corps, les épaules en arrière et la nuque droite –, commence par quelques respirations profondes.

2 Inspire et lève les bras de chaque côté du corps, les paumes tournées vers le ciel, et joins-les au-dessus de ta tête. Te voilà dans la posture nommée hasta uttanasana. Regarde tes pouces. Ta tête ne doit pas basculer trop en arrière. Veille aussi à ne pas contracter tes épaules, qui doivent rester basses.

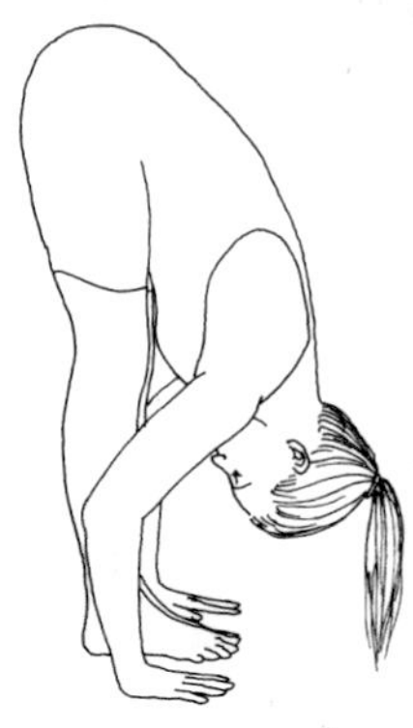

3 Expire en baissant les bras, puis en te penchant vers l'avant de façon à placer ta tête contre tes genoux : uttanasana A (ou pince debout). Si tu le peux, pose les mains par terre, à côté de tes pieds. Sinon, pose-les sur tes chevilles ou sur tes genoux. Veille à ce que ton dos soit bien droit. Si tu sens des tensions dans le bas du dos, fléchis légèrement les genoux.

4 Inspire en te relevant légèrement, tout en gardant les épaules vers l'arrière, et le bout des doigts au sol (ou sur les chevilles, ou aux genoux). Garde le dos plat. Tu dois te sentir dans la position d'un plongeur sur le point de basculer dans l'eau : uttanasana B (ou pince dos plat).

8

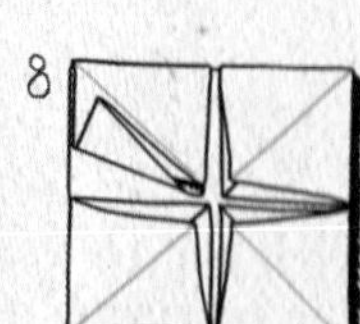

Sur chacun d'eux, replie les côtés le long de la ligne diagonale, comme sur le modèle.

9

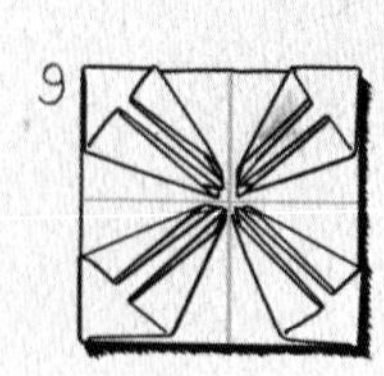

Tu obtiens huit petits triangles sur le dessus du pliage.

10

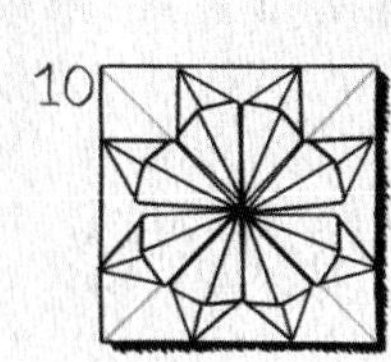

Ouvre tous les triangles et aplatis-les comme ci-dessus.

Enfin, replie les coins du grand carré sous la fleur.

Fais éclore une fleur en papier et réalise une fleur en origami.

Exercices de yoga

Le mot yoga vient du sanskrit et signifie littéralement « jonction ». En effet, dans la salutation au soleil, comme dans de nombreux exercices de yoga, le mouvement est joint à la respiration. Dans sa forme la plus simple, la salutation au soleil – surya namaskara en sanskrit – est un enchaînement de douze postures (asanas) reliant le mouvement à l'inspiration et à l'expiration. Le plus important à garder à l'esprit quand on pratique le yoga, c'est la respiration. Il faut inspirer dans l'extension ou l'étirement et expirer dans la flexion ou la contraction. Pour respirer pendant l'exercice, rentre le ventre, comme si ton nombril était aspiré vers la colonne vertébrale. Respire alors profondément par le nez, en gardant la bouche fermée. Le ventre reste contracté, tandis que ta poitrine se gonfle et se resserre alternativement, à chaque inspiration et expiration.

Traditionnellement, la salutation au soleil s'accomplit au lever du soleil. Si tu ne tiens pas absolument à te lever avant l'aube et à t'installer face à l'est pour rendre hommage au dieu du Soleil, contente-toi de faire cet exercice à ton réveil ou – pourquoi pas ? – dès que tu ressens le besoin de te détendre.

Si tu n'as pas de tapis de gymnastique, prends une grande serviette de bain et étends-la sur le sol.

1 *Dans la posture tadasana, ou posture de la montagne – les pieds et les orteils bien à plat sur le sol, les bras le long du corps, les épaules en arrière et la nuque droite –, commence par quelques respirations profondes.*

2 *Inspire et lève les bras de chaque côté du corps, les paumes tournées vers le ciel, et joins-les au-dessus de ta tête. Te voilà dans la posture nommée hasta uttanasana. Regarde tes pouces. Ta tête ne doit pas basculer trop en arrière. Veille aussi à ne pas contracter tes épaules, qui doivent rester basses.*

3 *Expire en baissant les bras, puis en te penchant vers l'avant de façon à placer ta tête contre tes genoux : uttanasana A (ou pince debout). Si tu le peux, pose les mains par terre, à côté de tes pieds. Sinon, pose-les sur tes chevilles ou sur tes genoux. Veille à ce que ton dos soit bien droit. Si tu sens des tensions dans le bas du dos, fléchis légèrement les genoux.*

4 *Inspire en te relevant légèrement, tout en gardant les épaules vers l'arrière, et le bout des doigts au sol (ou sur les chevilles, ou aux genoux). Garde le dos plat. Tu dois te sentir dans la position d'un plongeur sur le point de basculer dans l'eau : uttanasana B (ou pince dos plat).*

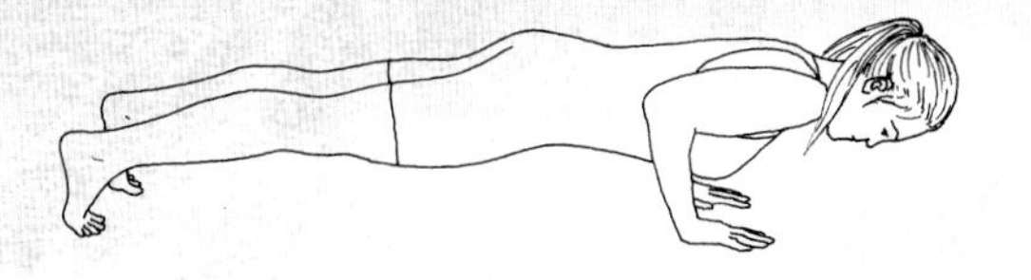

5 Pose les paumes de tes mains au sol, les doigts écartés, puis expire en prenant la posture chaturanga dandasana (ou bâton à quatre appuis), comme si tu voulais faire des pompes. Les coudes sont très près du corps : les bras touchent les côtes. Le poids du corps repose sur les mains et les orteils. Garde bien les hanches droites pour ne pas te cambrer. Si c'est trop difficile, pose tes genoux sur le sol.

6 Inspire en passant dans la posture urdhva mukha svanasana (ou chien tête en haut). Pousse sur tes orteils, qui passent ainsi de la position fléchie à la position tendue. Les mains et le bout des orteils sont les seules parties du corps qui touchent le sol. Lève la tête en cambrant le dos, mais garde les épaules basses (ne fronce pas les sourcils !).

7 Expire en passant dans la posture adho mukha svanasana (ou chien tête en bas). En gardant les paumes des mains au sol, bascule tes orteils pour te replacer sur la plante des pieds. Garde la posture pendant cinq respirations en veillant à ce que tes talons et tes chevilles soient alignés (tu ne dois donc pas voir tes talons). Imagine que tes plantes de pieds s'enfoncent dans le sol.

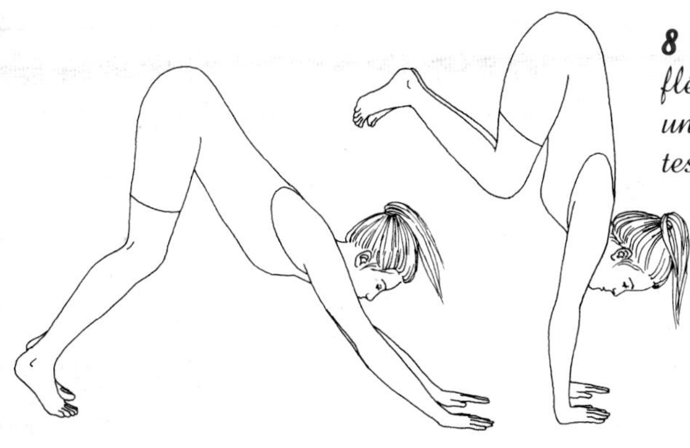

8 Regarde tes mains en fléchissant les genoux et fais un saut ou un pas pour ramener tes pieds vers les mains.

9 Inspire en redressant la tête, dos plat, sans décoller le bout des doigts du sol (uttanasana B).

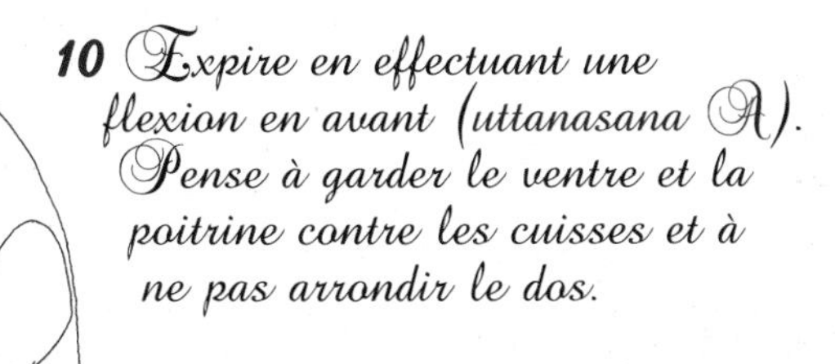

10 Expire en effectuant une flexion en avant (uttanasana A). Pense à garder le ventre et la poitrine contre les cuisses et à ne pas arrondir le dos.

11 Inspire en te relevant. Tu retrouves la posture hasta uttanasana, le regard vers les pouces et les paumes jointes.

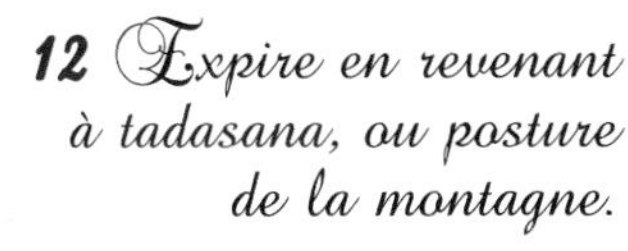

12 Expire en revenant à tadasana, ou posture de la montagne.

Jeux pour les soirées pyjama

Comment animer tes soirées pyjama ? Parmi les bons vieux films qui font peur, on peut citer *L'Exorciste*, *Les Dents de la mer*, *Alien*, *Shining* ou *Psychose*... Mais, ensuite, ne te plains pas de ne plus trouver le sommeil parce que tu te demandes ce qui peut bien se cacher sous ton lit !

En général, on ne dort pas beaucoup quand on est invitée à passer la nuit chez une amie. On reste éveillée jusqu'à des heures indues : on bavarde, on regarde des films, on organise des jeux, on se raconte des histoires ou on organise des batailles de polochons. Rien de tel pour renforcer la complicité entre copines, en bouleversant de manière amusante les rituels du soir – dormir dans le salon, se coucher tard, rester éveillée dans le noir et se raconter des histoires qui font peur. C'est l'occasion de tester son audace, comme en témoignent les jeux qui se sont imposés dernièrement dans les soirées pyjama « entre filles ».

1er jeu : Action ou vérité

Dans sa version la plus élémentaire, le jeu de la vérité exige des participantes qu'elles choisissent à tour de rôle entre la vérité ou un gage. Il faut donc soit répondre à une question soit exécuter un gage imposé par les autres joueuses. On peut imaginer les questions les plus embarrassantes et les gages les plus périlleux, à condition toutefois que personne ne risque de se faire mal. En effet, le jeu doit rester amusant… sans compter que ce que l'on demande à quelqu'un de dire ou de faire pourra nous être demandé aussi, quand viendra notre tour de choisir entre vérité ou gage.

Dans la variante « vérité, gage ou supergage », les joueuses ont le choix entre répondre sincèrement à une question, exécuter un petit gage ou accomplir un gros gage. On peut aussi ajouter une autre épreuve, comme celle de devoir répéter quelque chose – de préférence une chose embarrassante – plus tard en public. C'est la version « vérité, gage, supergage ou promesse ».

Principes fondamentaux

- Évitez tout ce qui risque de fâcher une fille avec ses parents, tout ce qui nécessite d'aller dehors ou d'embêter des gens qui ne participent pas au jeu.
- Une fois qu'on s'est engagée à dire la vérité, à exécuter un gage, un supergage ou à répéter quelque chose d'embarrassant en public, on ne peut pas revenir en arrière !

Vérité

Tu dois répondre à une question personnelle, comme « Quel est ton secret le plus intime ? », « Quelle a été la situation la plus embarrassante que tu aies vécue ? », « À quand remonte la dernière fois où tu t'es brossé les dents ? », « Quel superpouvoir aimerais-tu posséder ? ».

Gage

On peut te donner un gage facile comme « faire la poule pendant trente secondes », « porter un bonnet de laine le reste de la nuit », « faire dix pompes » ou « jouer une scène de mort dramatique ».

Supergage

Un gage plus embarrassant, par exemple « embrasser une peluche comme si c'était ton amoureux » ou « entonner l'hymne national à pleins poumons ».

Promesse

Si tu ne veux pas dire la vérité ou si tu préfères éviter un gage, tu peux opter pour la « promesse » de répéter quelque chose d'embarrassant plus tard en public. Tu peux ainsi accepter, par exemple, de placer à tout bout de champ le mot débilitant dans tes conversations du lendemain.

2e jeu : Légère comme une plume, raide comme un bâton

L'une d'entre vous s'allonge par terre tandis que quatre à six autres glissent leurs index sous son corps. Ensuite, les yeux fermés, prononcez vingt fois doucement : « légère comme une plume, raide comme un bâton ». Puis fléchissez les bras et soulevez la personne qui est allongée. Elle semble alors léviter au-dessus du sol !

Il existe une variante où l'on raconte une histoire. Une joueuse commence : « Par une nuit sombre et orageuse… » Les joueuses (sauf celle qui est étendue au sol) répètent la phrase l'une après l'autre, puis la première reprend : « Il faisait froid et la route était verglacée… » Tout le monde répète, puis la première continue : « La voiture qui la conduisait a dérapé… » Tout le monde répète, puis : « Et quand on l'a trouvée… » Tout le monde répète, puis : « Elle était légère comme une plume… » Tout le monde répète, puis : « Et raide comme un bâton. » Le groupe répète ces deux dernières phrases plusieurs fois puis tout le monde scande « légère comme une plume, raide comme un bâton » en soulevant la personne du sol.

Le sais-tu ?

La lévitation, du latin levitas, « légèreté », signifie « flotter dans les airs ». Différentes religions, comme le christianisme ou l'islam, mentionnent des cas de lévitation observés chez des chamans, des médiums, des saints ou des possédés.

On dit que les saints capables de lévitation dégageaient un halo. On peut citer la mystique espagnole sainte Thérèse d'Ávila (1515-1582), qui lévitait, disait-on, lors de transes extatiques. Elle est souvent représentée en compagnie d'un oiseau pour illustrer son pouvoir de voler.

JEUX DE MATHS

Pourquoi ne pas profiter de l'occasion pour divulguer quelques astuces mathématiques amusantes ?

Ange ou démon ?

Si la lévitation a parfois été considérée comme une manifestation divine, elle a dans d'autres contextes été jugée démoniaque et considérée comme un signe maléfique provenant de démons, de fantômes ou autres créatures liées au monde de la sorcellerie.

Quoi qu'il en soit, quiconque a vu un magicien à l'œuvre – ou a joué à « légère comme une plume, raide comme un bâton » dans une soirée pyjama – peut en témoigner, ça reste amusant, même si on se doute bien que ce n'est pas vrai.

JOUER AU CHAT ET À LA SOURIS

Aucun matériel particulier n'est nécessaire. Il suffit que quelqu'un se sacrifie pour être le chat et que les autres soient les souris. Ces dernières doivent courir le plus vite possible pour éviter de se faire attraper et de devenir chat à leur tour. Voici quatorze façons de jouer au chat et à la souris.

1. Chat farandole

Une fois attrapées, toutes les souris restent prisonnières du chat. Le chat s'accroche au bras de la souris qu'il vient de toucher et celle-ci devient chat avec lui. Peu à peu, il se forme donc une véritable farandole de chats. Si une partie de la farandole se détache, la nouvelle prise ne compte pas. Le jeu est terminé lorsque la dernière souris est intégrée à la farandole.

2. Chat glacé

Le chat doit attraper une souris qui, lorsqu'elle sera touchée, se transformera en « glaçon » c'est-à-dire en statue immobile, jusqu'à ce qu'une autre souris vienne à son tour la toucher pour la délivrer du maléfice. Le chat est vainqueur lorsque toutes les souris sont glacées et qu'elles ne peuvent plus se délivrer les unes les autres.

3. Chat tornade

Dans cette variante, le chat doit tourbillonner sur lui-même, les bras tendus. S'il touche une souris sans tournoyer, cela ne compte pas.

4. Chat tabou

Pour ne pas se faire attraper, la souris adopte une position convenue avant la partie.

5. Chat ombre

Pour attraper les souris, le chat doit mettre le pied sur une partie de leur ombre. Idéal pour jouer en fin de journée quand il fait soleil et que les ombres s'allongent.

6. Chat perché ou suspendu

Pour échapper au chat, une seul[e] méthode : grimper, se percher ou se suspendre quelque part. Qu'importe l'endroit, on n'es[t] protégé que perché ou suspendu. Mais attention, pour que le jeu s[e] poursuive, il ne faut pas reste[r] perchée éternellement !

7. Chat bougie

Quand une bougie est touchée, elle doit fondre, c'est-à-dire s'accroupir lentement tout en mettant ses mains sur la tête. Les autres bougies ont la possibilité de sauver la bougie touchée si elles la touchent avant qu'elle ne soit accroupie. Le chat doit toucher et ainsi faire fondre un maximum de bougies. La gagnante est la dernière bougie qui reste sur le terrain.

8. Chat ferré

Le chat annonce une couleur ou un matériau. Les souris doivent toucher cette couleur ou ce matériau pour ne pas se faire attraper. Lorsqu'une souris est touchée, elle devient le chat.

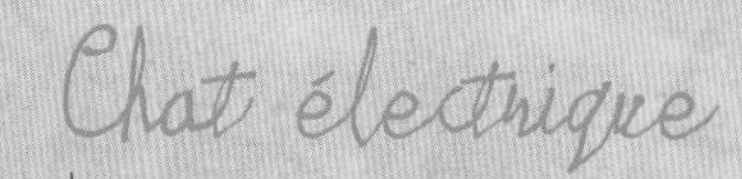

Quand une souris est touchée par le chat, qui n'oublie pas de faire un bruit électrique, du genre « bzzt ! », elle doit s'asseoir par terre. « Électrifiée », elle ne peut pas se relever ni se déplacer. Les souris qui n'ont pas été électrifiées doivent éviter le chat, tout en veillant à ne pas s'approcher trop près des souris électrifiées, qui peuvent les toucher au passage en allongeant le bras. Dans ce cas, la joueuse s'assoit par terre. Le jeu continue jusqu'à ce qu'il ne reste plus une seule souris non électrifiée.

10. Chat baissé

Le chat doit attraper une souris qui, lorsqu'elle sera touchée, deviendra chat à son tour. La seule méthode pour échapper au chat consiste à se baisser. À genoux, accroupie ou à plat ventre, qu'importe la manière dont la souris est baissée, le chat n'aura pas le droit de la toucher.

11. Chat blessé

Le chat doit attraper une souris qui, lorsqu'elle sera touchée, deviendra chat à son tour. Ce nouveau chat est blessé et il doit se tenir l'endroit où il a été touché. Il va sans dire que lorsqu'on a été touchée au pied on s'aperçoit vite qu'il est très difficile de courir avec une main sur le pied !

12. Chat empoisonné

Ici, le chat contamine la souris qu'il touche. La souris infectée devient chat à son tour. La dernière souris à se faire contaminer par l'un des chats devient le premier chat empoisonné de la nouvelle vague d'infection.

Le chat vise les souris avec une balle. La joueuse qui est touchée devient le chat.

14. Chat coupé

Le chat poursuit une seule souris jusqu'à la toucher, ou change de proie si une autre souris lui coupe, volontairement ou involontairement, la route.

Origami
pour dire la bonne aventure !

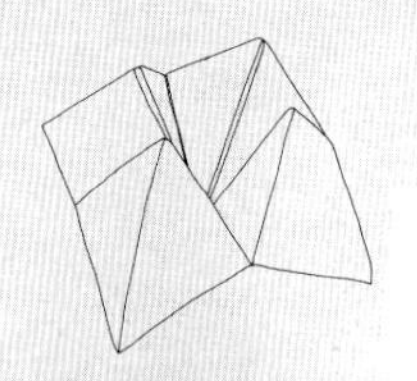

Le jeu de la salière, parfois appelé « pouce-pouce » ou encore « coin-coin », est un jeu de hasard qui repose sur un pliage formé de quatre pointes de papier dans lesquelles on place les doigts. La personne qui manipule le pliage pose des questions à l'autre joueur. Les réponses entraînent des mouvements qui permettent de découvrir un message caché sous les plis du papier.

Comment réaliser le pliage ?

Il te faut un carré de papier.

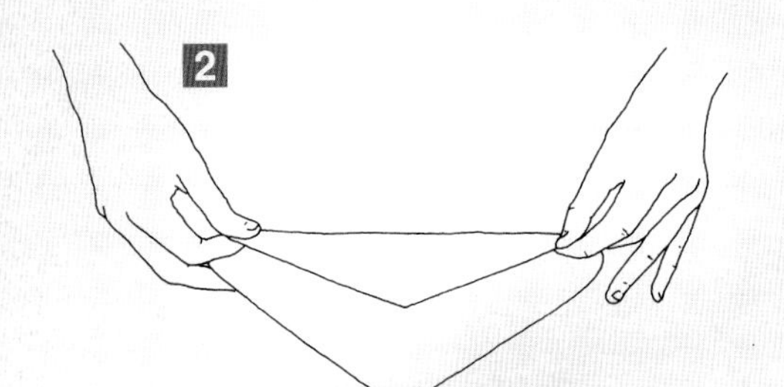

Rabats un coin pour former le triangle.

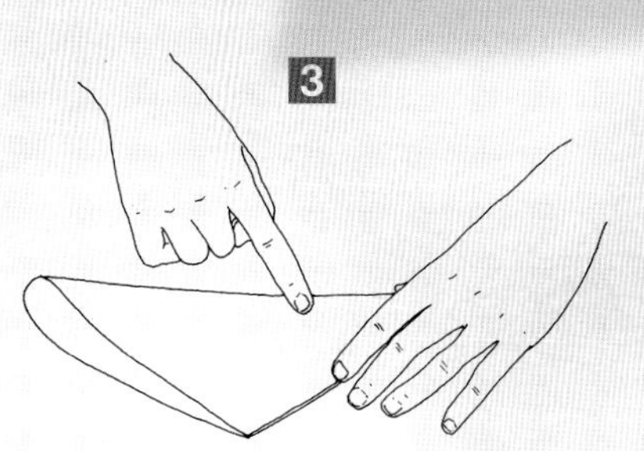

Marque le pli.

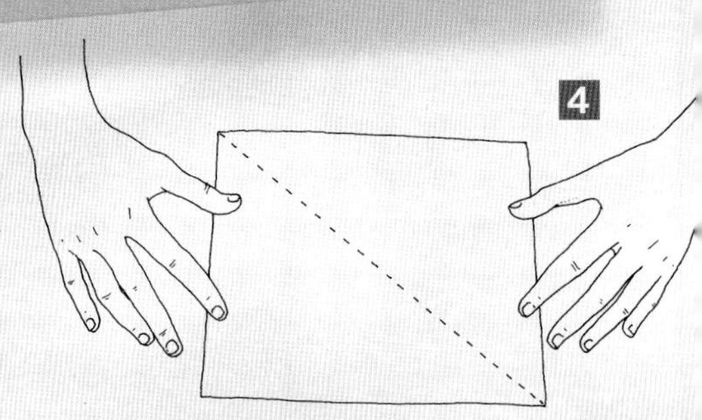

Une fois le triangle ouvert, tu disposes d'un carré parfait avec un pli diagonal au milieu.

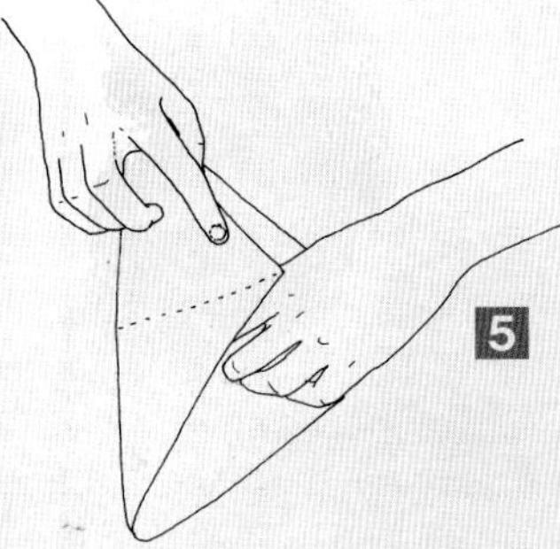

Plie le carré de nouveau en triangle, dans le sens opposé cette fois.

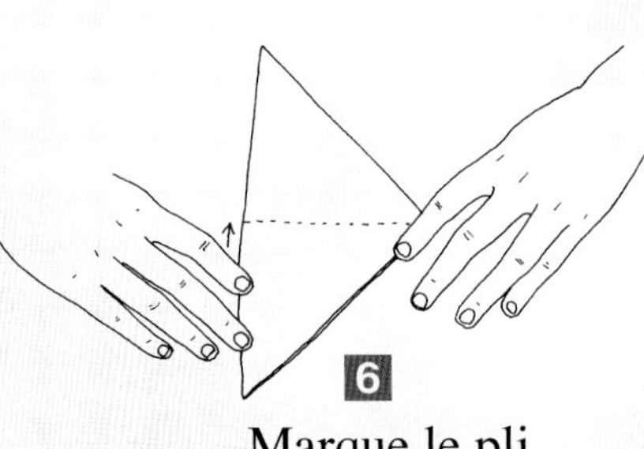

Marque le pli.

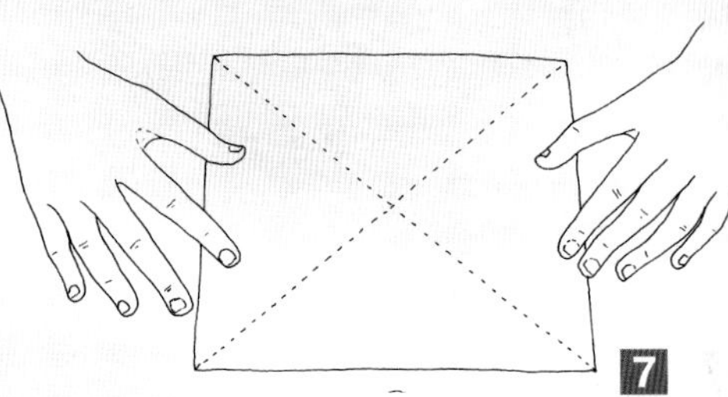

Déplie, tu as maintenant un carré avec des plis en forme de X.

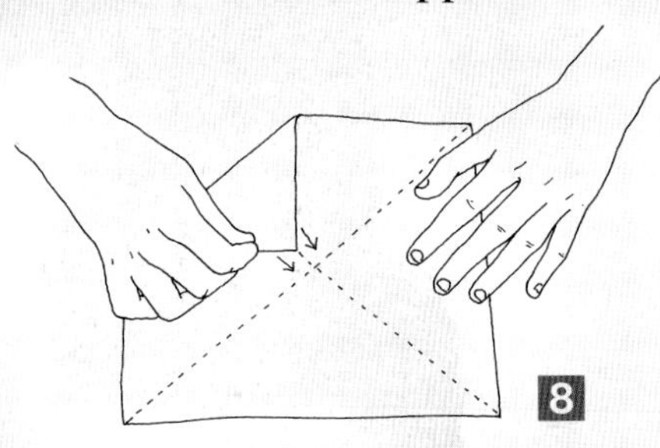

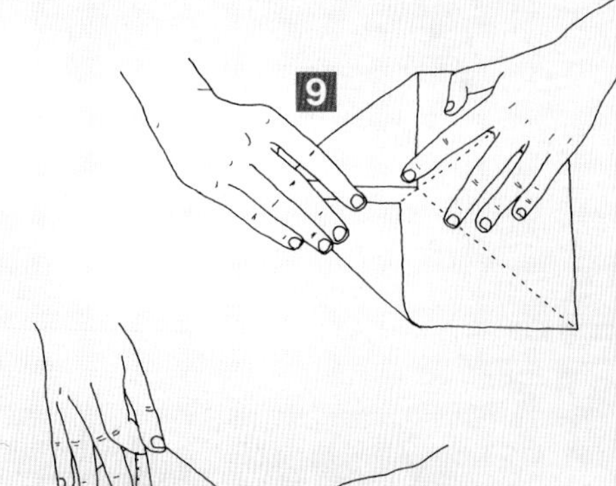

10

Rabats les coins du carré vers le centre.

11

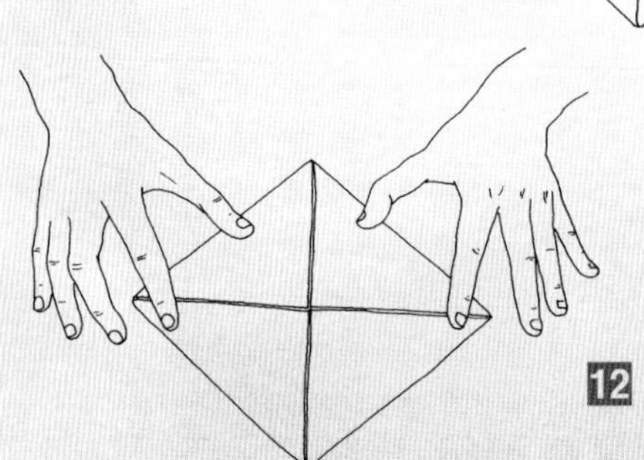

Une fois tous les coins repliés, tu dois obtenir un carré plus petit.

Retourne le pliage, faces pliées sur la table, puis replie de nouveau les coins du carré vers le centre. Lorsque les quatre coins sont pliés, tu dois obtenir un carré encore plus petit, composé de triangles. Numérote ces triangles de un à huit.

Maintenant, plie le carré verticalement,

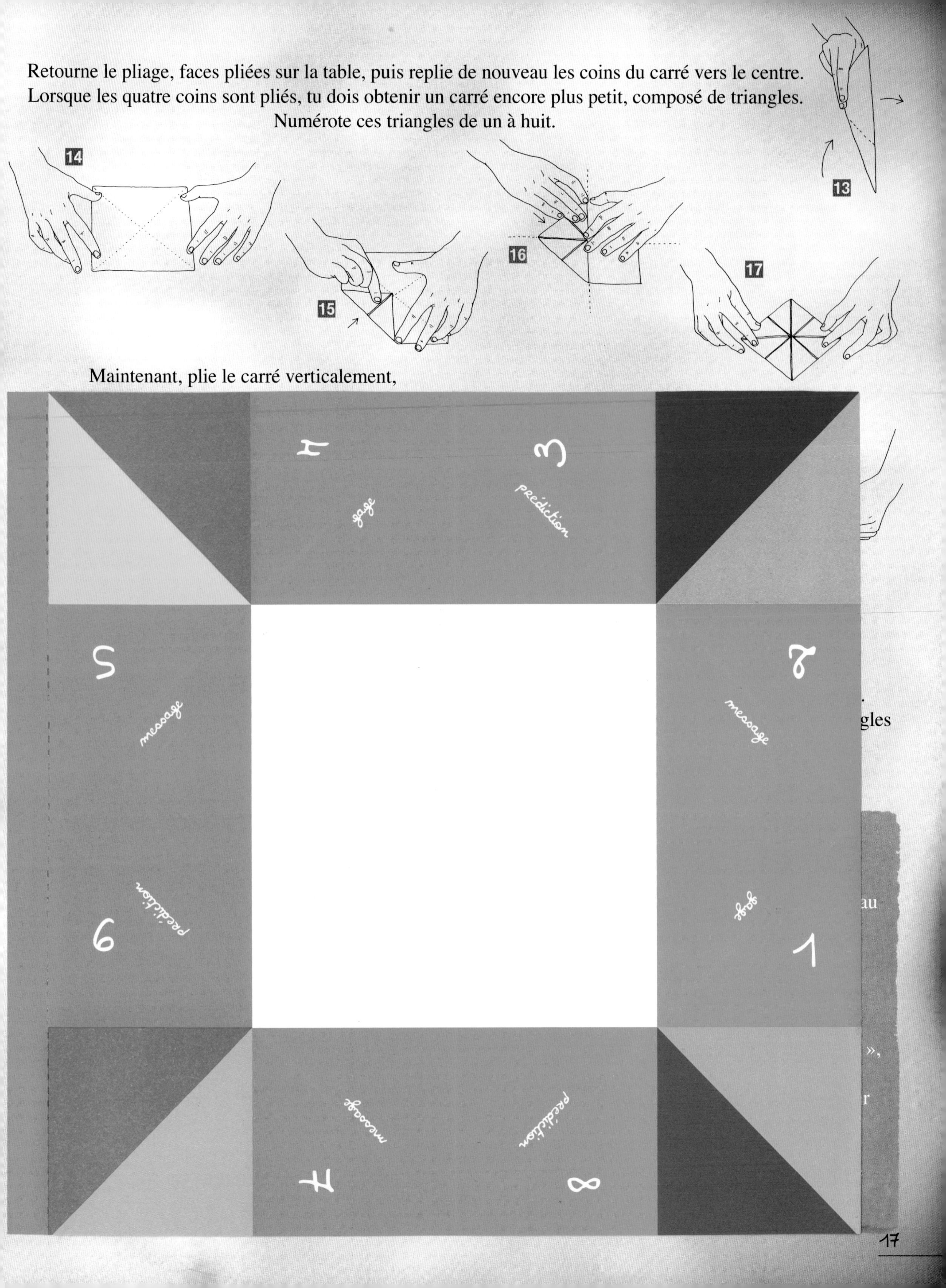

Raconter des histoires de fantômes

Que serait une nuit à la belle étoile ou une soirée pyjama sans histoires de fantômes ? Pour donner le frisson, rien de tel que de se raconter des histoires effrayantes, surtout tard le soir, autour d'un feu de camp qui crépite ou dans l'ombre d'une salle à manger inconnue, à la lueur d'une petite lampe électrique. Dans ces histoires, on retrouve souvent les mêmes thèmes : un fantôme en quête de vengeance, une route déserte ou une maison abandonnée ; un événement qui crée la surprise ou un sujet à sensation, sans oublier tous les petits détails destinés à rendre le récit le plus crédible possible.
Certaines histoires mettent en scène des personnes et des lieux réels, comme le fantôme de Château-Gaillard, en Normandie ; on raconte que le spectre de Marguerite de Bourgogne, épouse de Louis X le Hutin, qui la fit étrangler en 1315 pour cause d'infidélité, se promène vers minuit au milieu des ruines. Ou encore, en Bretagne, au Kastel ar Gibel, propriété de la princesse Ahès (ou Dahut), fille de Gradlon, qui régnait sur la légendaire cité d'Ys. Les cris des amants de Dahut, sacrifiés au matin après avoir passé la nuit avec elle, se feraient encore entendre certains soirs à proximité du vieil édifice. D'autres histoires traitent de personnes ayant succombé dans des conditions terriblement effrayantes : la femme morte à cause des morsures d'une araignée qui se serait prise dans ses cheveux, l'homme piégé par une auto-stoppeuse (en réalité un fantôme hantant la route où elle aurait péri quarante ans plus tôt dans un accident de voiture), la fille morte étouffée par son jean qui aurait trop rétréci... Voici maintenant quelques conseils pour décupler ton imagination et pour effrayer tes amies.

Le personnage principal

- Une jeune fille.
- Une vieille femme.
- Un campeur.
- Une personne seule au volant d'une voiture.
- Deux amies qui se croient plus courageuses qu'elles ne le sont réellement.
- Un personnage historique.
- Un parent lointain.
- Un auto-stoppeur.

Caractéristiques des fantômes

- Sont détectés par les animaux et les nourrissons.
- Hantent les lieux de leur mort.
- Apparaissent la nuit et disparaissent à l'aube.
- Sont farceurs : jouent de la musique ou déplacent les objets.

L'intrigue

- Le fantôme cherche à retrouver un objet ou une personne.
- Il tente d'avertir le personnage principal d'un danger imminent.
- Il veut inciter le personnage principal à accomplir un acte dangereux.
- Il cherche à se venger.

Le décor

- Chez toi.
- Une mine désaffectée.
- Un cimetière.
- Une forêt.
- Un lieu qui fait peur à tout le monde dans les environs (vieille maison inhabitée, petit ruisseau envahi par la végétation, etc.).
- Un long couloir désert.
- Un château.

Le thème

- Errance dans la nuit noire.
- Solitude dans un endroit effrayant.
- Enfermement dans une maison hantée.
- Voyage avec un inconnu.
- Communication avec un fantôme.
- Apparition d'un fantôme.

N'oublie pas de choisir les mots qui font peur, comme cimetière, malédiction, légende, glacer le sang, chair de poule, mauvais augure, mortel, mystérieux, frisson, effroyable, atroce, figé...

Pense à agrémenter ton histoire de nombreux détails réalistes. Si le personnage principal est une fille qui allait dans la même école que toi il y a des années ou si les faits se sont déroulés à deux pas de chez toi, l'histoire semble crédible... et ton auditoire frissonne.

Avoir une complice

À la fin de ton récit, d'un ton calme, dramatique et presque en chuchotant, conclus « … et la fille n'a jamais été retrouvée… ». À ce moment précis, que l'une de tes amies s'écrie : « Mais je suis là ! » Et tout le monde sursaute.

Savoir raconter

Parle lentement, d'une voix grave et regarde bien chacune des personnes auxquelles tu t'adresses. Mais tiens compte de ton auditoire ! Attends que les plus jeunes soient endormies pour raconter les histoires les plus terrifiantes. Et sache que celles qui font vraiment peur empêchent parfois de dormir !

Célèbres histoires de fantômes

Hamlet, William Shakespeare (vers 1601).
La Légende du cavalier sans tête, Washington Irving (1820).
La Morte amoureuse, Théophile Gautier (1836).
Le Cœur révélateur, Edgar Allan Poe (1843).
Le Chant de Noël, Charles Dickens (1843).
Le Fantôme de Canterville, Oscar Wilde (1887).
Le Fantôme de l'Opéra, Gaston Leroux (1910).

SAUTER À LA CORDE

Le jeu de la corde à sauter a toujours eu beaucoup de succès. Au XVIIe siècle avant J.-C., les petits Égyptiens sautaient déjà à la corde avec des sarments de vigne. Sur certaines peintures du Moyen Âge, on peut voir des enfants faire rouler des cerceaux et sauter à la corde dans les rues pavées. En Angleterre, la corde à sauter était un jeu associé à la fête de Pâques, notamment à Cambridge et dans les villages alentour. Aujourd'hui encore, dans le village d'Alciston (East Sussex), les enfants se réunissent pour jouer à la corde à sauter le vendredi saint. Tu seras sans doute surprise d'apprendre que la corde à sauter était à l'origine une activité réservée aux garçons, et qui était même interdite aux filles. Désormais, tout le monde saute à la corde. C'est même un sport de compétition.

Comptines classiques pour accompagner le jeu de la corde à sauter

Des rues de Brest aux cours de récréation du quartier du Panier à Marseille, on se transmet de génération en génération des comptines à chanter en sautant à la corde. On les entonne aussi en sautant à l'élastique ou pendant les jeux de mains frappées. Elles donnent lieu à de nombreuses variantes.

LA DOUBLE CORDE À SAUTER

Le Double Dutch (littéralement « double Néerlandais » ; prononcer « dabeul deutch ») est un sport particulièrement apprécié des jeunes filles. Il consiste à sauter entre deux cordes qui tournent en alternance. Ces cordes sont actionnées par deux « tourneuses » pour une ou deux « sauteuses ». Chaque « tourneuse » tient une extrémité de corde dans chaque main.

Si les cordes doivent présenter la même longueur, elles n'ont pas besoin d'être de la même couleur – l'utilisation de deux couleurs différentes permet d'ailleurs à celle qui saute de mieux repérer le mouvement de chaque corde.

La corde tenue dans la main gauche tourne dans le sens des aiguilles d'une montre, celle tenue dans la main droite tourne en sens inverse. Elles décrivent donc de belles ellipses opposées.

La « sauteuse » doit franchir chaque corde dès qu'elle touche le sol et si rapidement qu'elle donne l'impression de courir sur place.

Quel est donc le rapport entre ce jeu de corde à sauter et les Néerlandais ?

Si l'on en croit la légende, le jeu pourrait tirer son origine des mouvements effectués jadis par les Néerlandais pour fabriquer la corde.

Un fil de chanvre autour de la taille et deux autres attachés à un rouet, le cordier tordait d'abord les longueurs de chanvre sur elles-mêmes (en reculant) avant de les réunir pour les tordre ensemble et en faire une corde. Pour approvisionner en chanvre les fileurs, il fallait sauter rapidement entre les cordes qui ne cessaient de tourner l'une sur l'autre. De là à imaginer les cordiers et leurs familles transformer ce travail en passe-temps, il n'y a qu'un pas.

C'est sans doute aux pionniers néerlandais venus s'installer dans la Nouvelle-Amsterdam (actuelle New York) que la double corde à sauter doit son surnom de « double Dutch ». Par la suite, ce jeu connut un grand succès, notamment dans les villes, avant de disparaître après les années 1950. Il réapparut à New York dans les années 1970.

Désormais, la double corde à sauter est un sport collectif de compétition pratiqué dans le monde entier.

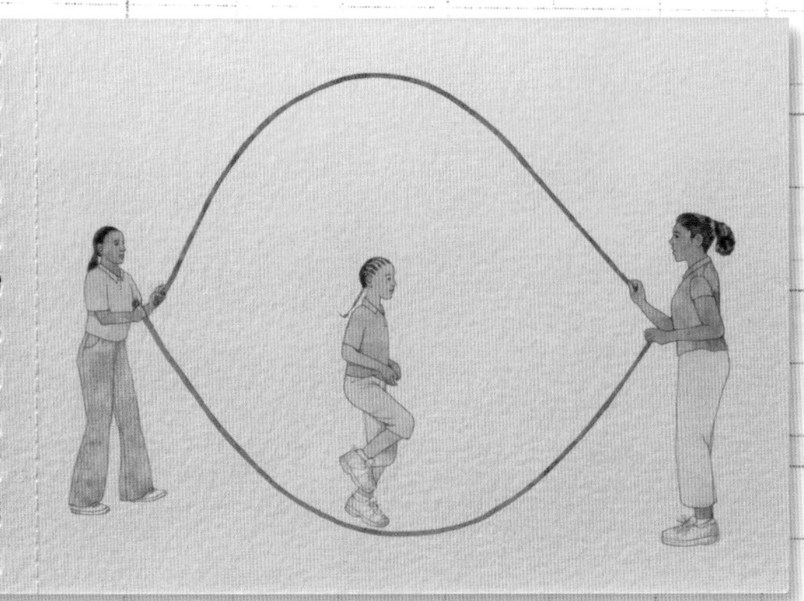

Jeanne d'Arc

« On n'a qu'une vie et on la vit comme on croit bon de le faire. Mais sacrifier ce qu'on est et vivre sans croyance, voilà un destin bien plus terrible que la mort. »

Jeanne d'Arc

Fille de Jacques d'Arc et d'Isabelle Romée, Jeanne naît vers 1412 dans le village de Domrémy, en Lorraine. Très pieuse, elle grandit en aidant son père aux travaux des champs, garde des moutons et file la laine.

À 13 ans, elle est certaine d'avoir un destin exceptionnel. Elle entend les voix de saint Michel, de sainte Catherine et de sainte Marguerite, qui l'informent de sa mission divine : sauver la France. Ces voix se font si pressantes qu'à 15 ans, elle se coupe les cheveux, revêt l'uniforme masculin et prend les armes.

À cette époque, la France et l'Angleterre se déchirent. Nous sommes en pleine guerre de Cent Ans (1337-1453). En 1429, Henri VI d'Angleterre revendique le trône de France et les Anglais occupent Paris, le nord et l'ouest du pays. Les voix qui guident Jeanne lui dictent de libérer sa patrie du joug anglais, de lever le siège d'Orléans et de faire couronner le dauphin de France, Charles VII. Elle fait part de sa mission divine au capitaine Robert de Baudricourt. Dans un premier temps, celui-ci récuse l'idée qu'une jeune fille de quinze ans puisse être à même de diriger des troupes. Mais la persévérance et la force de persuasion de Jeanne finissent par le convaincre, tout comme elles convainquent le dauphin. Ainsi, Jeanne reçoit l'autorisation de mener des hommes au combat.

Elle a 17 ans lorsqu'elle remporte la célèbre victoire sur les Anglais à la bataille d'Orléans, en mai 1429. Revêtue d'une armure, elle porte une bannière blanche à l'effigie des saints dont elle entend les voix. Elle est courageuse, déterminée, et commande soldats et capitaines avec une grande efficacité. Elle exige aussi de ses soldats qu'ils assistent à la messe. Jeanne a réellement l'âme d'un chef, si bien qu'on dit qu'à l'approche de ses troupes l'ennemi fuit le champ de bataille. Mais son plus grand exploit est d'avoir insufflé à ses hommes le sentiment patriotique : elle est l'une des premières à considérer l'Angleterre et la France comme des pays distincts, dotés de cultures et de traditions différentes qu'il faut préserver.

Ses victoires sur le champ de bataille lui permettent de conduire Charles VII à Reims, où il est sacré roi de France (17 juillet 1429).

Entrée de Jeanne d'Arc à Orléans

Ce triomphe sera toutefois de courte durée : elle est capturée par les Bourguignons en 1430 alors qu'elle défend Compiègne, près de Paris, et est vendue aux Anglais. Ces derniers la livrent au tribunal de Rouen, où elle sera jugée et déclarée hérétique. Pendant son procès, elle se défend avec simplicité et courage, mais elle est condamnée et brûlée vive à Rouen le 30 mai 1431. Ses derniers mots seront : « Jésus ! Jésus ! » Elle n'a que 19 ans !

Jeanne d'Arc au bûcher

Près de vingt-cinq ans après sa mort, le pape Calixte III engage un procès en réhabilitation, à la demande de Jean Bréhal, grand inquisiteur de la Foi pour le royaume de France, et de la famille de Jeanne. Celle-ci est reconnue martyre et déclarée innocente en 1456. Canonisée en 1920, Jeanne d'Arc est aujourd'hui la sainte patronne de la France.

L'histoire de cette héroïne n'a jamais cessé d'inspirer les artistes !

Lire les lignes de la main

Ancien domaine réservé des magiciens occultes versés dans l'astrologie, voire dans la fameuse « magie noire », la chiromancie (du grec kheir « main » et manteia « divination ») est devenue une sorte de jeu auquel on peut s'amuser dès lors qu'on décide de croire, ne serait-ce qu'un moment, que la main révèle vraiment la personnalité de quelqu'un.
En général, on « lit » dans la main dominante en étudiant sa forme et le tracé des lignes situées dans la paume. La technique la plus courante, dite « de la lecture à froid », repose sur une observation attentive qui, aidée d'un peu de psychologie, permet de tirer des conclusions sur la vie et le tempérament du sujet étudié. Pour opérer une bonne lecture, il faut tenir compte du langage du corps et du comportement afin de poser des questions pertinentes ou de deviner habilement ce que l'intéressé souhaite savoir. Celui qui lit les lignes de la main donnera ainsi l'impression d'en savoir plus que le sujet lui-même.

De l'importance de la main dans l'Antiquité

Chaque partie de la paume – jusqu'aux doigts – est associée à un dieu ou à une déesse, et ses caractéristiques donnent au chiromancien des indices sur la personnalité et sur l'avenir d'une personne. L'index est associé à Jupiter ; il révèle les qualités de chef, la confiance en soi, la fierté et l'ambition de la personne. Le majeur est associé à Saturne ; son apparence indique si la personne est responsable, si l'on peut compter sur elle et si elle a conscience de sa propre valeur. L'annulaire, qui est associé à Apollon, fournit des renseignements sur les aptitudes artistiques du sujet. L'auriculaire est associé à Mercure ; il dévoile les forces et les faiblesses dans les domaines de la communication, de la négociation et de l'intimité.

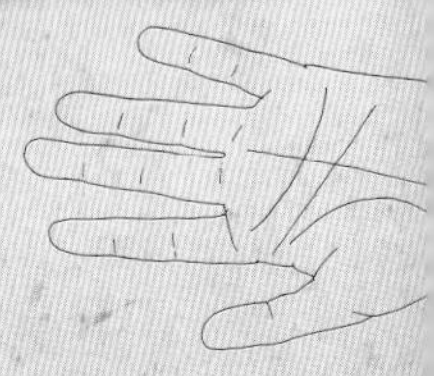

Lire entre les lignes

Les quatre lignes que l'on trouve sur presque toutes les mains sont la ligne de cœur, la ligne de tête, la ligne de chance et la ligne de vie.

1. Située dans la partie supérieure de la paume, sous les doigts, ***la ligne de cœur*** commence sur le bord extérieur de la paume et s'étend vers l'index. Elle est censée fournir des indications à interpréter de manière à la fois symbolique et littérale sur le cœur, autrement dit elle renseigne aussi bien sur la vie affective que sur la santé cardiaque. Plus son tracé est profond, plus les émotions sont fortes.

2. ***La ligne de tête*** démarre sur le bord interne de la paume, sous l'index, et traverse la paume jusqu'à son bord externe. À son point de départ, elle fusionne souvent avec la ligne de vie. Elle serait révélatrice de l'intelligence et de la créativité, mais aussi de l'attitude du sujet à l'égard
vie en général.

3. ***La ligne de chance***, ou lign
commence au milieu de la pau
du poignet et remonte vers le
est profonde, plus la vie du suj
par le destin. Les ruptures et
de direction signalent une p
changer en fonction d'événem

4. ***La ligne de vie*** commence au-dessus du pouce, où elle est souvent jointe à la ligne de tête, et s'étire en arc de cercle vers le poignet. Elle serait le siège de la vitalité, de la santé et du bien-être général. On dit aussi que la ligne de vie reflète les grands changements survenant au cours de la vie, y compris les maladies et les blessures. Mais, contrairement à une idée répandue, elle n'indique pas la durée de vie !

Dans la tradition chinoise, les formes de main sont classées selon les quatre éléments : la terre, l'air, l'eau et le feu. Les mains de terre sont réputées être larges et carrées, avoir la peau épaisse, un peu rouge, et une paume aussi longue que les doigts.

Ainsi la main pointue marque-t-elle un penchant pour l'art et la beauté, la main carrée un tempérament pratique et terre à terre, la main conique une personnalité inventive, la main en forme de spatule un caractère débrouillard et fonceur ; et la main mixte une nature capable de combiner créativité et esprit pratique.

DOSSIER CONFIDENTIEL

DEVENIR UNE ESPIONNE

Le mot *espion* vient de l'italien *spione*, qui signifie "épier". À vrai dire, bien que les films d'espionnage fassent une large place à la technologie et aux gadgets, la qualité d'une espionne se mesure essentiellement au talent qu'elle déploie pour observer tout ce qui se passe autour d'elle et pour en tirer les conclusions les plus perspicaces.

Tes accessoires

Les espionnes se servent parfois d'un foulard appelé « poudre d'escampette ». C'est un foulard sur lequel sont dessinées des cartes géographiques ou des plans, ce qui permet - en toute discrétion - de trouver une issue de secours, une ville voisine ou une route pour s'échapper. Tu peux t'en faire un dans un vieux foulard ou dans un morceau de tissu, avec un feutre permanent (à condition d'avoir préalablement obtenu la permission d'écrire sur le foulard).

Parmi les accessoires à avoir sur soi quand on joue les agents secrets, on peut citer les jumelles, un petit calepin avec un crayon, un talkie-walkie, une loupe, un couteau suisse, un chapeau ou une perruque, des baskets ou autres chaussures qui permettent de se faufiler sans bruit et des vêtements de couleur sombre. Mais il va de soi que les meilleurs accessoires sont tes yeux, tes oreilles et ton ingéniosité. Sois attentive à tout se qui ce passe autour de toi, observe sans éveiller l'attention, traque les indices subtils et note tout dans ton calepin. Avec un peu de chance, non seulement tu deviendras une grande espionne, mais tu deviendras peut-être aussi un grand écrivain. Penses-y, au cas où ta carrière d'espionne tournerait court.

Ton équipe d'agents secrets

- *La responsable des opérations* : c'est l'espionne en chef. Elle dirige, planifie et organise la mission.
- *L'éclaireuse* : elle est la première sur le terrain et juge si le reste de l'équipe peut s'y aventurer en toute sécurité. Personne ne bouge sans qu'elle en ait donné le signal.
- *La guetteuse* : elle surveille la cible des investigations et déclenche les opérations.
- *La technicienne* : c'est la reine de la technologie. Elle maîtrise l'informatique, les gadgets et appareils de toutes sortes, sait s'en servir, effectuer des réparations et en concevoir de nouveaux.
- L'as du volant : c'est la personne qui s'occupe du transport. Selon les missions, elle peut être chargée de surveiller les trottinettes, de mettre à l'abri une autre espionne en la prenant sur le porte-bagages de son vélo ou même d'accomplir une mission-éclair délicate sur un skateboard ou en rollers.
- *La passe-muraille* : c'est la plus petite et la plus discrète. C'est encore mieux si elle peut distraire l'attention de certains suspects à l'aide de tours de cartes ou de magie.
- *La chargée des relations publiques* : c'est quelqu'un de courageux, de bavard et d'expansif, capable de s'entretenir avec les suspects pour leur soutirer des informations.

À la fin de chaque mission, tous les membres de l'équipe doivent se retrouver dans un repaire secret, pour faire leur rapport à la responsable et échanger des informations.

Pour ne pas souffrir de l'isolement qui caractérise la vie de certaines espionnes, pourquoi ne pas organiser un réseau d'espionnage ? Pour mener à bien une mission secrète en équipe, il faut, entre espionnes, se répartir les tâches selon les domaines de compétences de chacune, et bien sûr avoir des noms de code.

Communication top secret

Les signaux sifflés et les signaux de la main te seront fort utiles pour alerter ou pour guider ton équipe d'agents secrets quand vous serez sur le terrain.

Quelle que soit sa spécialité, une espionne doit avoir le sens de l'équilibre, doit bluffer, escalader, se montrer diplomate, prendre la fuite lorsque cela est nécessaire, réunir des informations, se cacher, avoir de l'intuition, être perspicace, savoir sauter, écouter, se déplacer en silence, lire sur les lèvres et interpréter le langage du corps, faire des cabrioles, se transformer... mais surtout garder la tête froide !

Signaux sifflés

- Un coup long signifie « silence / attention / écoutez le signal suivant ».
- Une succession de coups longs signifie « allez-y / éloignez-vous davantage » ou « avancez / répartissez-vous / éparpillez-vous ».
- Une succession de coups brefs signifie « rassemblement / rapprochez-vous / formez les rangs ».
- L'alternance de coups brefs et longs signifie « alerte / attention / tenez-vous prêtes / chacune à son poste ».

Codes secrets

Voici quelques exemples de codes simples à utiliser, pour envoyer un message que le destinataire sera le seul à pouvoir déchiffrer :

- Écrire chaque mot à l'envers.
- Lire la deuxième lettre seulement de chaque mot.
- Remplacer les lett
- Inverser l'alphabet
- Décaler l'alphabet (
- Utiliser de l'encre
le message en le ten

Signaux de la main

- « En avant » : fais un large mouvement de bras, de l'arrière vers l'avant.
- « Retraite » : avec ton bras, fais un grand cercle
de la tête.
» : tends ton
e-le au-dessus

Camper

Lorsque les beaux jours reviennent, pourquoi ne pas proposer à tes amies de dormir dehors ? Avant de partir sur les chemins de randonnée avec tout le matériel de camping sur le dos, un petit bout de jardin suffira pour une première expérience. S'installer le plus confortablement possible avec les moyens du bord, écouter les bruits de la nuit et se parler dans le noir… C'est déjà l'aventure !

Planter une tente

Une simple corde, quelques piquets et deux bâches – de grandes toiles imperméables, ou en plastique –, et voilà une tente rapidement improvisée dans le jardin. D'abord, attache une corde entre deux branches ou deux arbres. Ensuite, étale par terre l'une des deux bâches et suspends la seconde sur la corde. Enfin, à l'aide d'un marteau ou d'un gros caillou, plante tes piquets aux quatre coins de la bâche.

Dans le commerce, les tentes sont vendues avec des piquets flexibles et pliables, ce qui facilite grandement leur montage. L'auvent, qui protège de la pluie et de la rosée, se fixe en général devant et est maintenu par un piquet. Les sardines sont à planter solidement en terre pour éviter que la tente ne s'envole au bout du monde en cas de fortes rafales de vent. Surtout, n'oublie pas de bien fermer l'entrée de ta tente, pour te protéger de l'ennemi numéro un du camping : les petites bêtes (le numéro deux étant les piqûres d'ortie). En effet, il est pratiquement impossible de se débarrasser d'un moustique une fois qu'il est entré !

L'intérieur de la tente

Il te faut un sac de couchage. Pour un peu plus de confort, glisse un tapis de sol dessous et pense à prendre un oreiller ou une taie d'oreiller que tu bourreras de vêtements.

Il existe aussi des matelas gonflables, que tes parents apprécieront certainement si tu les invites à camper avec toi. Si tu n'as pas de sac de couchage, un « roulé-boulé » fera l'affaire : comme le savent tous les campeurs chevronnés, il s'agit de rouler un drap et une couverture à l'intérieur d'une housse de couette.

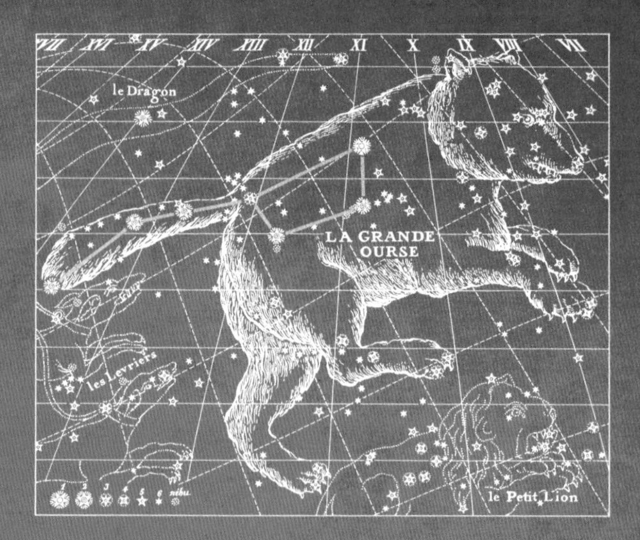

Matériel indispensable

- Une lampe de poche et un répulsif contre les moustiques.
- Une glacière, remplie d'eau potable et une réserve de nourriture : pommes, fruits secs et noix grillées, chips, chocolat et autres friandises qu'on apprécie en camping. Sans oublier la guimauve, bien sûr, surtout si tu comptes faire du feu, car tu peux la déguster grillée.

Faire du feu

N'attends pas la tombée de la nuit pour choisir l'emplacement du foyer, ramasser le bois et effectuer tous les préparatifs ! Heureusement, tu trouveras dans les pages qui suivent comment réussir un feu de camp en toute sécurité et comment proposer à tes hôtes un repas gastronomique dans de telles conditions.

Petits conseils

Quand on dort à la belle étoile ou sous la tente, il ne faut surtout pas oublier d'emporter un sac pour jeter les papiers d'emballage et autres déchets.
Une fois que tu sais planter la tente et installer ton sac de couchage dans le jardin, tu peux passer à l'étape suivante et camper en pleine nature, là où réfrigérateur et toilettes manquent parfois cruellement.
Attention ! Le camping requiert un certain équipement et une préparation minutieuse, surtout quand on s'aventure loin de chez soi. Si tu pars en randonnée, il te faudra prévoir plusieurs jours de nourriture et d'eau que tu devras porter dans ton sac à dos, sans oublier un Camping-Gaz, des gamelles, du savon, une brosse à dents et bien d'autres choses encore. Une fois prête pour cette inoubliable expérience grandeur nature, trouve une amie dont la famille a l'habitude de ce genre d'escapade et laisse-les t'enseigner le b.a.-ba.
Où que tu sois, n'oublie pas que le but de la manœuvre est de respirer l'air frais de la nuit, d'admirer les étoiles et d'écouter les bruits de la nature avant de sombrer dans les bras de Morphée.

Pour observer les étoiles

Repère d'abord la Grande Ourse : quatre étoiles disposées en trapèze et trois étoiles qui forment comme le manche d'une casserole. En prolongeant la ligne extérieure du trapèze du côté opposé au manche, trouve l'étoile Polaire, qui indique le nord. Elle brille assez faiblement, et se trouve elle-même au bout de la queue de la Petite Ourse.

Carte céleste de l'hémisphère Nord

La calligraphie

Du grec kallos, beauté, et graphein, écrire, la calligraphie est l'art de former d'une façon élégante et ornée les caractères de l'écriture.

Un peu d'histoire

Le premier instrument pour écrire ressemblait aux premières armes de chasse. C'est en effet à l'aide d'une pierre acérée que l'on dessinait sur les parois des cavernes. Au fil du temps, ces gravures évoluèrent jusqu'à former des symboles, puis des mots et des phrases. Il fallut attendre encore longtemps pour que l'alphabet vienne remplacer pictogrammes et symboles.

La pierre de Rosette comporte le texte d'un décret de Ptolémée V, gravé en hiéroglyphes, en démotique et en grec. Elle permit à Champollion de déchiffrer les hiéroglyphes en 1922.

E cinquième lettre de l'alphabet.

Les équilibristes et les jongleurs sont des gens qui à force de patience sont arrivés à exécuter ces tours d'adresse qui vous amusent tant dans les fêtes publiques. En voici deux qui méritent votre attention. L'un porte sur sa machoire treize coupes rangées avec symétrie, l'autre avale des lames de sabre, un drôle de déjeuner, n'est-ce pas?

E-qui-li-bris-te.

F sixième lettre de l'alphabet.

Voilà la compagne de votre enfance, la fée à la magique baguette qui vous a tant intéressés quand on racontait au coin du feu Cendrillon ou la pantoufle de verre, la chatte blanche, la belle au bois dormant, Riquet à la houppe et tous ces contes charmants si bien faits pour séduire votre jeune imagination.

Fée.

Le savant grec Cadmos, fondateur de la ville de Thèbes initié à l'alphabet phénicien, serait l'inventeur du premier message écrit sous forme de texte – un courrier, rédigé à la main, sur du papier, et envoyé à un destinataire. Au départ, tous les systèmes d'écriture utilisaient exclusivement les lettres majuscules. Ce n'est que lorsque les instruments pour écrire s'affinèrent qu'il devint possible d'employer les minuscules et que l'alphabet devint plus sophistiqué.

Aujourd'hui, nous disposons d'une formidable variété d'objets pour écrire – toutes sortes de stylos, de crayons, de feutres et de marqueurs – néanmoins, le plus utilisé dans l'histoire récente était la plume (tu trouveras dans ce livre toutes les instructions nécessaires pour fabriquer ta propre plume).

S'initier à la calligraphie

Voici quelques modèles d'écriture. Pour t'entraîner, tu peux t'amuser à les recopier, t'en inspirer pour ta correspondance ou – pourquoi pas – calligraphier ton poème favori ?

Voici un célèbre haiku (petit poème japonais) du poète Issa, qui nous rappelle à la fois la lente évolution de l'écriture humaine et la minutie et la concentration que nécessite la calligraphie !

Grimpe en douceur
petit escargot -
tu es sur le Fuji !

Aa Bb Cc Dd Ee
Ff Gg Hh Ii Jj
Kk Ll Mm Nn
Oo Pp Qq Rr Ss
Tt Uu Vv Ww
Xx Yy Zz

L'écriture cursive (ou « tracée à main courante », du verbe latin currere signifiant « courir »).
Elle permet de rendre élégante la correspondance la plus ordinaire, car elle se prête très bien aux fioritures. C'est pourquoi on la retrouve souvent sur les faire-part, les cartes des restaurants chics, etc.

Aa Bb Cc Dd Ee
Ff Gg Hh Ii Jj
Kk Ll Mm Nn
Oo Pp Qq Rr
Ss Tt Uu Vv
Ww Xx Yy Zz

Style médiéval
Pour débuter, voici un alphabet de style médiéval relativement simple… il en existe de bien plus compliqués !

Aa Bb Cc Dd
Ee Ff Gg Hh
Ii Jj Kk Ll
Mm Nn Oo Pp
Qq Rr Ss Tt
Uu Vv Ww
Xx Yy Zz

Style Extrême-Orient
Avant d'écrire naturellement dans ce style, tu peux t'entraîner sur un papier-calque. Pour cela, maintiens-le à l'aide d'un trombone.

Aa Bb Cc Dd Ee
Ff Gg Hh Ii Jj
Kk Ll Mm Nn Oo
Pp Qq Rr Ss Tt Uu
Vv Ww Xx Yy Zz

Style littéraire
Observe les boucles, les pleins et les déliés de ces lettres. Prends ta plus belle plume pour écrire dans ce style.

FAIRE DU ROLLER

Les premiers patins à roulettes, créés au XVIIIe siècle, ressemblaient aux rollers en ligne d'aujourd'hui, car leurs roulettes étaient alignées. Vers 1860, un nouveau modèle apparut, avec deux paires de roues placées côte à côte. Ces nouveaux patins s'imposèrent rapidement car ils permettaient d'exécuter plus facilement certaines figures. Le roulement à billes améliora encore leur maniabilité et le frein avant fut breveté peu après. La popularité du patin à roulettes s'accrut et atteint son paroxysme dans les années 1970 et 1980. Ensuite, c'est le roller en ligne qui s'imposa dans les années 1990.

Si tu es débutante, entraîne-toi sur un sol lisse et plat à l'abri de la circulation. Il te faut d'abord apprendre à démarrer, à tourner et à t'arrêter. Quel que soit ton niveau, n'oublie pas de t'équiper de protections pour les genoux, les poignets et les coudes, ainsi que d'un casque.

Démarrer

Avant de t'élancer, trouve ton équilibre et familiarise-toi avec tes rollers en effectuant une simple marche sur une surface plate, dans l'herbe ou sur un tapis. Pour commencer, contente-toi d'essayer de tenir debout, en répartissant bien ton poids uniformément au milieu du patin. Ne crispe pas les genoux. Ensuite, place tes pieds en « V », talons joints et pointes écartées. Fléchis légèrement les genoux, étends les bras sur les côtés et avance lentement, pied droit, puis pied gauche, et ainsi de suite pour te faire une première impression. Lorsque tu te sens à l'aise, essaie de trouver l'équilibre sur une surface bitumée. Il faut éviter de se pencher, et prendre l'habitude de fléchir les genoux.

Tomber

Même si on tente d'éviter les chutes, celles-ci sont quasiment inévitables ! C'est pourquoi il est important d'apprendre à tomber sans se faire mal. Entraîne-toi à tomber sur ton lit ou sur des coussins. Tu seras ainsi préparée à la sensation de la chute et tu développeras de bons réflexes, ce qui réduira la gravité de tes blessures le cas échéant. Pour la chute en avant, bascule sur les genoux (qui doivent toujours être protégés), plie les jambes et assieds-toi sur les talons – évite de tendre les bras en avant ou de tomber sur les mains. Si tu tombes vers l'arrière, essaie de retrouver l'équilibre en te penchant en avant et résiste à l'envie de battre des bras en l'air ou d'amortir la chute avec les mains !

Il te faut :

- des rollers
- des genouillères
- un casque
- des protège-coudes
- des protège-poignets

Tu peux trouver cet équipement dans n'importe quel bon magasin de sport !

Avancer

Commence dans la position en « V », talons serrés et pointes de pieds écartées. Les genoux légèrement fléchis et les bras tendus pour te stabiliser, bascule le poids du corps sur le pied droit et avance en écartant légèrement le pied gauche. Ramène le pied gauche à hauteur du pied droit, pour reprendre la position en « V », bascule le poids du corps à gauche et glisse sur le pied gauche en repoussant légèrement le droit. Répète ces mouvements en restant détendue.

Tourner

Pour tourner, penche-toi du côté où tu souhaites aller. Ainsi, pour tourner à gauche, penche-toi vers la gauche ; pour tourner à droite, penche-toi vers la droite.

S'arrêter

On peut utiliser le frein, mais il est parfois difficile de pointer le pied de sorte que la gomme touche le sol. Mieux vaut opter pour l'arrêt en « T » : pendant que l'un des deux pieds est vers l'avant, soulève le pied arrière et ramène-le derrière le premier en formant un angle de 45 degrés. Tes deux pieds forment alors un « T ». Ensuite, bascule le roller arrière sur le côté pour ralentir et t'arrêter progressivement.

Le pas de patineur

Départ pieds joints, bascule le poids sur le pied droit et repousse le pied gauche sur le côté. Laisse-toi glisser sur le pied droit et décolle le pied gauche du sol. Ne courbe pas la taille, garde les épaules droites et évite de faire des moulinets avec les bras ! Ramène le roller gauche à côté du pied droit et pose-le par terre. Bascule ensuite le poids du corps sur le pied gauche et répète ce mouvement de balancier. Regarde au loin, droit devant toi. Progressivement, allonge le pas et tu prendras de la vitesse.

Jeu : le sablier

Dessine un sablier imaginaire avec les rollers, sans décoller les pieds du sol. Pour cela, place le poids du corps alternativement sur la partie intérieure et sur la partie extérieure des rollers. Tes pieds s'écarteront ou se rapprocheront l'un de l'autre. Essaie de maîtriser ce mouvement, aussi bien pour avancer que pour reculer !

N'oublie pas ton casque !

L'art d'écrire

Lorsque l'on a été invitée ou que l'on a reçu un cadeau, il est bienvenu d'adresser un petit mot ou une lettre de remerciement – la politesse veut en outre que la lettre soit rédigée à la main.

Conseils pour écrire une lettre de remerciement

Remercie la personne d'emblée. Inutile de te compliquer la vie avec une introduction. Un simple « merci pour ton cadeau » fera donc l'affaire. Ensuite, tu peux expliquer pourquoi le présent tombe à point nommé (ou, s'il s'agit de répondre à un geste d'hospitalité, tout le bénéfice que tu en as tiré). Tu feras toujours plaisir en évoquant la hâte que tu as de revoir ton correspondant. Après un dernier merci, tu peux terminer ta missive par « je t'embrasse », « grosses bises » ou ta formule préférée.

La correspondance privée

Plus longue qu'un mot de remerciement, la lettre personnelle se compose de différentes parties et peut être manuscrite ou tapée à l'ordinateur.

L'en-tête : y figurent l'adresse, le lieu et la date. L'adresse se place en haut à gauche de la première page. Après un saut de ligne et en respectant une marge de 4 à 5 cm, on indique le nom de la ville d'où l'on écrit et la date, séparés par une virgule, mais sans point final.

L'appel : c'est la formule par laquelle tu interpelles ton correspondant. Que tu choisisses d'écrire « Cher/Chère… » ou « Mon cher/Ma chère… », tu feras suivre le nom du destinataire d'une virgule puis d'un saut de ligne.

Le corps de la lettre : il s'agit du texte principal. Chaque début de paragraphe est introduit par un alinéa. On ne saute pas de lignes entre les paragraphes.

La formule de politesse : elle vient en conclusion et est séparée du corps du texte par un saut de ligne. Dans une lettre familière, tu peux te contenter d'une formule simple, sur le modèle de « en attendant de te revoir bientôt » ou « j'espère que tu vas bien », suivie d'un « grosses bises ». Pour la correspondance plus formelle, il existe diverses formules consacrées, telles que « veuillez agréer, Madame/Monsieur, l'expression de mes salutations distinguées ».

La signature : elle doit figurer sous le texte, après un saut de ligne.
Pour ajouter un post-scriptum, saute une ligne après ta signature et commence le post-scriptum en indiquant « P.-S. » Il est possible d'utiliser l'abréviation P.P.S. pour ajouter un court texte à un post-scriptum existant.

Faire son propre papier

Dans l'Antiquité, les Égyptiens écrivaient sur du papier végétal – fait à partir de tiges de papyrus – ou sur du parchemin (de la peau séchée et tendue de veau, de chèvre ou de mouton). En Chine, le premier papier fut fabriqué à partir de soie, d'écorce de mûriers et autres fibres végétales. Aujourd'hui, le papier se compose essentiellement de fibres de bois, mais il existe aussi du papier fantaisie à base de lin, de coton ou de matières synthétiques. Reste que la technique de base est la même et que tu peux fabriquer sans peine ton propre papier.

Il te faut :

- Du vieux papier (journaux, magazines, sacs en papier, papier cartonné, papier de soie, serviettes en papier)
- Une éponge
- Du grillage très fin (ou une moustiquaire)
- Un cadre en bois
- Une bassine en plastique (assez grande pour accueillir ton cadre)
- Un mixeur
- De la feutrine, du papier buvard, de la flanelle ou autre tissu absorbant (à la rigueur du papier journal)
- Une agrafeuse
- De la colle liquide
- Un rouleau à pâtisserie
- Un fer à repasser

Déchire le papier en petits morceaux et mets-le dans un mixeur en faisant attention à ne pas dépasser la moitié de sa hauteur. Remplis le reste du mixeur avec de l'eau chaude. Mixe le papier et l'eau pendant environ 30 secondes, en commençant à faible vitesse pour augmenter progressivement. Mixe jusqu'à l'obtention d'une pulpe lisse et bien mélangée, sans grumeaux.

Confectionne ce qu'on appelle un gabarit à l'aide du grillage et du cadre en bois. Pour cela, tends le grillage au maximum sur le cadre et agrafe-le. Coupe tout ce qui dépasse. C'est le moment d'étendre aussi la feutrine ou le papier buvard à côté de la bassine pour l'avoir sous la main au moment propice.

Remplis d'eau la moitié de la bassine et verse la pulpe qui a été mixée. Ajoute dans la bassine le contenu de deux autres mixeurs de pulpe. Remue l'eau et la pulpe dans la bassine – n'hésite pas à le faire directement avec tes mains – puis ajoute deux cuillerées à café de colle liquide. Mélange bien, puis immerge ton gabarit (le cadre en bois tendu de grillage) dans la bassine, grillage vers le fond. Secoue ensuite le gabarit latéralement jusqu'à ce que la pulpe soit uniformément répartie.

Soulève délicatement le gabarit pour le sortir de l'eau et tiens-le au-dessus de la bassine pour l'égoutter. La pulpe doit former une couche uniforme sur le grillage. (S'il y a des trous ou si la pulpe n'est pas étalée uniformément, immerge de nouveau le gabarit et recommence l'opération.) À l'aide d'une éponge, absorbe l'excès de liquide sur le grillage.

Lorsque le gabarit ne goutte plus, retourne-le, côté papier, sur le matériau absorbant. Éponge soigneusement puis soulève délicatement le gabarit, en laissant la feuille de papier humide sur le tissu. À la main, tu peux presser légèrement pour chasser les éventuelles bulles ou autres imperfections.

Place une autre feuille absorbante sur le papier et élimine toute trace d'humidité à l'aide du rouleau à pâtisserie. La feuille de papier que tu as confectionnée doit maintenant sécher pendant plusieurs heures. Tu peux toutefois accélérer le processus en utilisant un fer à repasser (réglé sur position moyenne). Ne repasse néanmoins pas directement sur le papier, mais plutôt sur le matériau absorbant. Une fois le papier complètement sec, retire délicatement la couche absorbante et admire le résultat !

Jouer à la marelle

À l'origine, la marelle n'était pas un jeu de cour d'école, mais un exercice militaire. Au début de l'Empire romain, les soldats en armure couraient en suivant de gigantesques tracés pour améliorer leur jeu de jambes. Par imitation, les enfants inventèrent leur propre version de ces courses, qu'ils raccourcirent et agrémentèrent d'un système de points : le jeu de la marelle était né !

Le mot marelle vient de merel, qui signifie en ancien français « jeton », « caillou » ou « palet », bref un petit objet rond que l'on pousse de place en place. Le jeu d'adresse tel que nous le connaissons est pratiqué par les enfants du monde entier.

Les tracés

La marelle traditionnelle ressemble à une échelle présentant des cases empilées, ou placées par paires sur certains rangs. Mais tu peux aussi faire appel à ton imagination et inventer ta propre marelle !

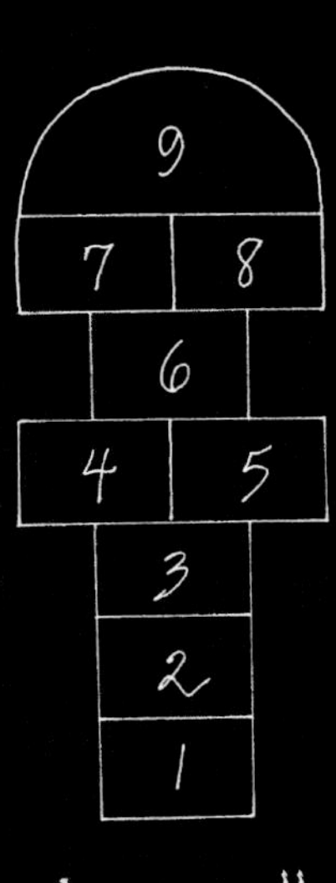

La marelle traditionnelle

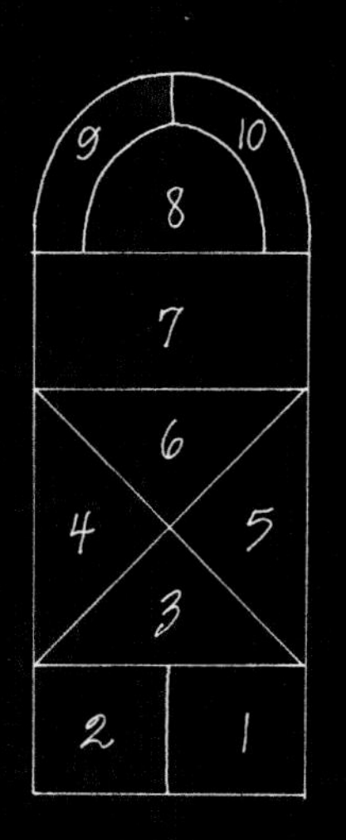

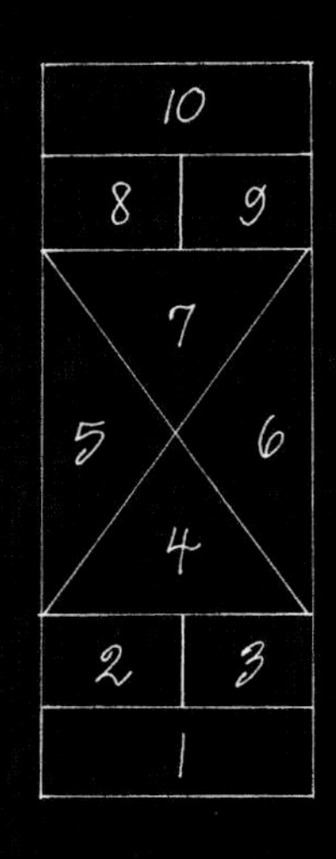

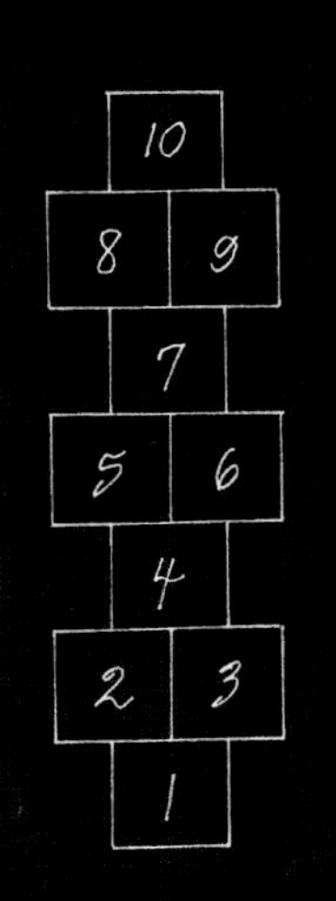

Autres marelles

Les règles du jeu

Selon la règle la plus simple, la première joueuse se place derrière la ligne de départ et lance un caillou dans la première case, qui ne doit ni rebondir ni toucher une ligne. La joueuse saute alors à cloche-pied par-dessus la première case (il faudra toujours sauter par-dessus la case qui contient le caillou), atterrit dans la deuxième, puis continue à cloche-pied jusqu'au sommet de la marelle. On peut poser un pied dans chaque case quand elles sont situées côte à côte. En revanche, les cases individuelles doivent être franchies en sautant sur un seul pied.

Arrivée à la dernière case, la joueuse revient jusqu'au point de départ, en ramassant le caillou au passage. Si elle réussit son aller-retour, elle peut continuer, lancer son caillou dans la case numéro 2, et recommencer son parcours. Dès qu'une joueuse pose le pied sur une ligne, rate une case, tombe ou encore pose les deux pieds par terre, elle doit passer son tour. Quand son tour revient, elle recommence là où elle s'était arrêtée. La gagnante est la première à avoir accompli ce parcours pour chaque case de la marelle.

Quelques variantes pour rendre le jeu un peu plus piquant

L'« escargot » ou « marelle ronde »

On dessine d'abord un colimaçon, qu'on divise ensuite en cases. Le but consiste à sauter à cloche-pied jusqu'au centre de l'escargot puis à revenir. Lorsqu'une joueuse parvient à effectuer le parcours complet, elle peut marquer une case de ses initiales ; dès lors, elle a le droit de poser les deux pieds dans cette case. Les autres doivent sauter par-dessus. La partie est terminée lorsque toutes les cases sont marquées. La gagnante est celle dont les initiales figurent dans le plus grand nombre de cases.

Cette variante, qui permet aux joueuses d'inscrire leurs initiales dans les cases, peut également être appliquée à la version traditionnelle. Lorsqu'une joueuse a réussi un aller-retour complet à cloche-pied, elle peut lancer son caillou dans la marelle, et inscrire ses initiales là où le caillou atterrit. Dès lors, cette case lui appartient, ce qui lui donne le droit d'y poser les deux pieds. Dans cette version, seule une case par partie peut être marquée des initiales de chaque joueuse.

La marelle carrée

Il faut lancer le caillou dans la case du centre, puis sauter à cloche-pied dans chaque case en suivant l'ordre. À chaque case, il faut tendre le bras pour ramasser le caillou qui est au centre, sans perdre l'équilibre ni poser le pied sur les lignes.

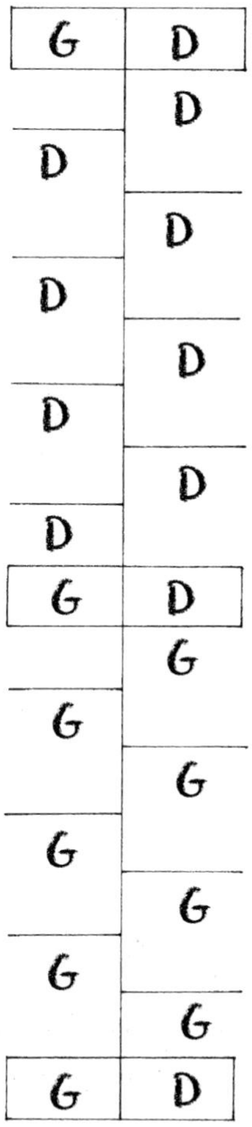

La marelle alternée

Il faut sauter à cloche-pied de part et d'autre de la ligne centrale sans toucher les lignes. De plus, il faut sauter avec le pied gauche dans les cases marquées G et avec le pied droit dans les cases marquées D. On a le droit de poser les deux pieds là où les cases G et D se trouvent côte à côte.

Tenir un stand gourmand

Voici comment gagner un peu d'argent de poche, tout en faisant connaissance avec ses voisins. Tu trouveras ci-dessous quelques recettes très simples à réaliser. Tu peux aussi proposer à la vente certaines de tes créations artisanales. Ainsi, pourquoi ne pas vendre quelques bracelets brésiliens, que tu confectionneras progressivement, tout en tenant ton stand ? Tu peux aussi profiter de l'occasion pour proposer un mini-vide-greniers et tenter de vendre diverses bricoles dont tu n'as plus l'usage. Ça dépend de la place dont tu disposes !

Il te faut :

- Une grande carafe de citronnade
- Des glaçons et une glacière pour en avoir toujours à disposition
- Des biscuits
- Des gobelets et des serviettes en papier
- Une boîte pour la monnaie ou la caisse enregistreuse avec laquelle tu jouais à la maternelle, si ta petite sœur ne l'a pas cassée
- Une table pliante
- Une grande pancarte, sans fautes, indiquant les tarifs
- Des chaises ou un banc, pour que chacun puisse s'installer
- Éventuellement de la musique pour attirer l'attention.

En présentant de délicieuses pâtisseries réalisées par tes soins, tu seras en mesure d'offrir un service de qualité supérieure. Les recettes proposées ici sont d'une grande simplicité, même s'il ne faut pas oublier que le gâteau au chocolat doit être placé environ deux heures au réfrigérateur pour être bien ferme.

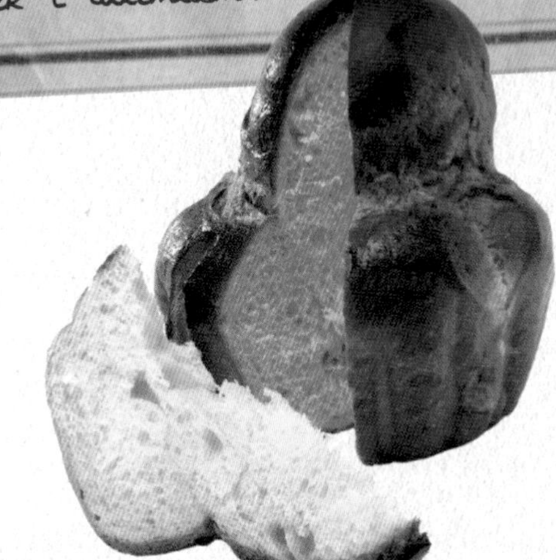

Calcul des bénéfices

Si tu montes un stand gourmand pour économiser de quoi t'offrir une robe ou un livre particulièrement convoité, tu dois être en mesure de calculer combien tu vas pouvoir gagner – autrement dit ton bénéfice. Admettons que tu aies choisi la version améliorée du stand gourmand et que la vente de citronnade, de gâteaux et de trois oursons en peluche t'ait rapporté 30 euros. Pour calculer ton bénéfice, il faut tout simplement effectuer l'opération suivante :
Recettes (entrées d'argent) moins Dépenses (ingrédients, gobelets, etc.) égalent Bénéfice.

Recettes

Pour 30 verres de citronnade et 20 parts de gâteau au chocolat vendus 50 centimes la pièce, tu as gagné 25 €. De plus, une bonne âme t'a donné 5 € pour les oursons que ta grand-tante t'avait offerts lors de tes deux ans. Tu as donc empoché 30 € au total.

Dépenses

Citrons 2,50 €
Gobelets en plastique 1,50 €
Ingrédients pour les sablés 6,00 €
Total des dépenses : 10,00 €
Maintenant, introduis ces chiffres dans l'équation :
30 - 10 = 20.
Tu as donc réalisé 20 € de bénéfice !

Les bracelets brésiliens

Tout simples ou très sophistiqués, les bracelets brésiliens sont en fait de simples fils de coton noués. Ils feront un très joli cadeau pour tes amies préférées.

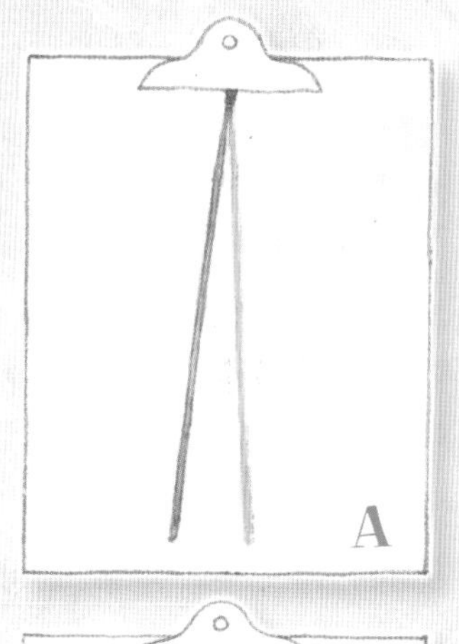

Le modèle serpent, le plus facile à réaliser

* Coupe deux fils de coton de différentes couleurs, d'un peu moins de 1 m de long.

* Tiens les deux fils ensemble. Fais un noeud à une extrémité, à 5 cm du bout. À l'aide d'une épingle de sûreté, attache-les sur ton pantalon ou à un accoudoir de canapé (demande d'abord l'autorisation à tes parents !). Tu peux aussi utiliser une planchette avec une pince pour maintenir le noeud (A).

* Sépare les deux fils. Prends celui de gauche et croise-le sur le droit pour obtenir la forme du chiffre 4 (B). Ensuite fais une boucle avec le fil gauche en le passant sous le droit, et fais-le ressortir par l'ouverture du "4" (C).

* Il se forme ainsi un noeud, que tu serres en le faisant glisser vers le gros noeud de départ. Répète ce même geste avec le même fil une dizaine de fois. Quand tu souhaites passer à l'autre couleur, place simplement à gauche le fil que tu tiens dans la main droite.

* Avec ce fil gauche de la deuxième couleur, reprends les étapes B et C jusqu'au nouveau changement de couleur, ou jusqu'à ce que tu aies terminé le bracelet.

* Pour finir, fais de nouveau un noeud avec les deux fils en laissant suffisamment de place pour attacher le bracelet autour du poignet de ton amie.

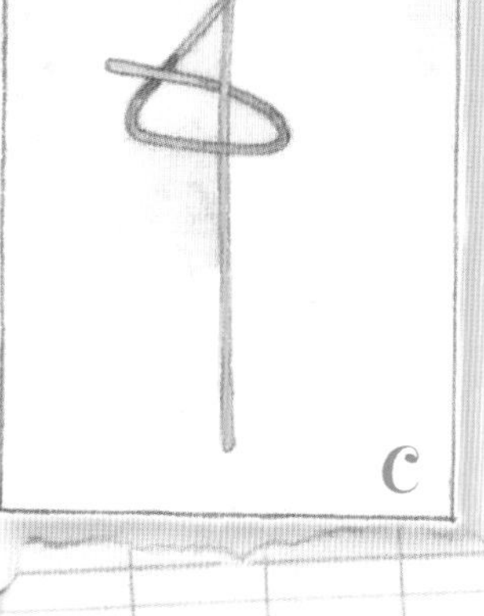

Petit conseil

Pour un modèle serpent plus épais et plus coloré, utilise quatre couleurs, et deux fils de chaque couleur. Noue tous les fils ensemble et attache le tout sur une surface dure. Suis les mêmes instructions que pour le premier modèle serpent, mais en nouant deux fils d'une couleur autour des six autres fils. Serre chaque noeud en le faisant glisser vers le haut. Continue tant que tu veux utiliser cette couleur puis change de fils. Et ainsi de suite jusqu'à ce que tu aies terminé. Pour arrêter le bracelet, fais un gros noeud avec tous les fils.

Variante du modèle serpent

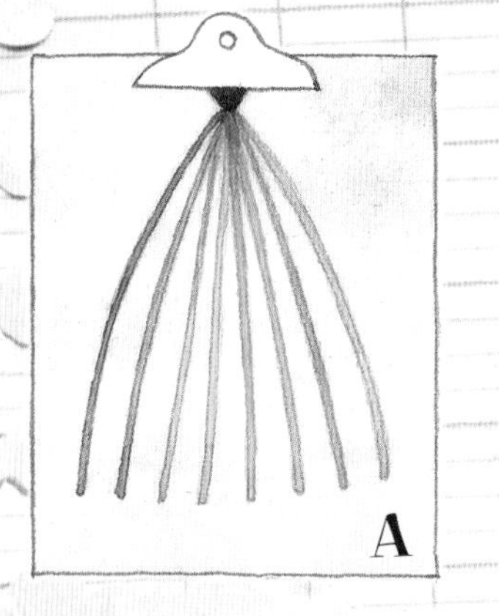

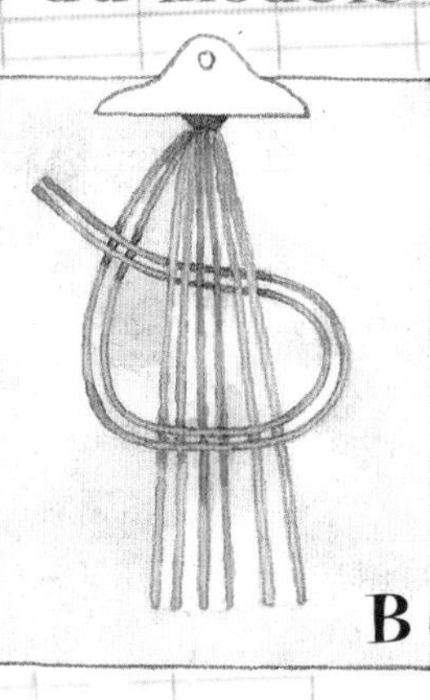

Le modèle à rayures

Plus plat et plus large, le modèle à rayures se confectionne différemment. On noue le fil de gauche autour de chacun des autres fils, l'un après l'autre, en allant ainsi de gauche à droite. Cela fait beaucoup de nœuds et c'est un peu fastidieux, mais cela montre à quel point tu tiens à l'amie à laquelle tu destines le bracelet ! Une fois que tu auras le coup de main, tu verras que tu pourras faire ces bracelets pratiquement sans regarder.

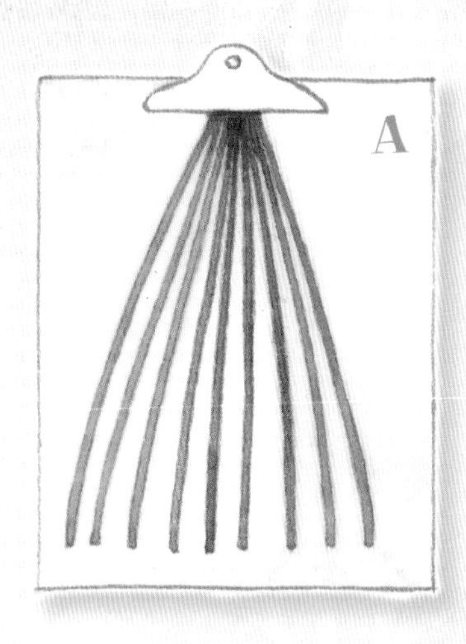

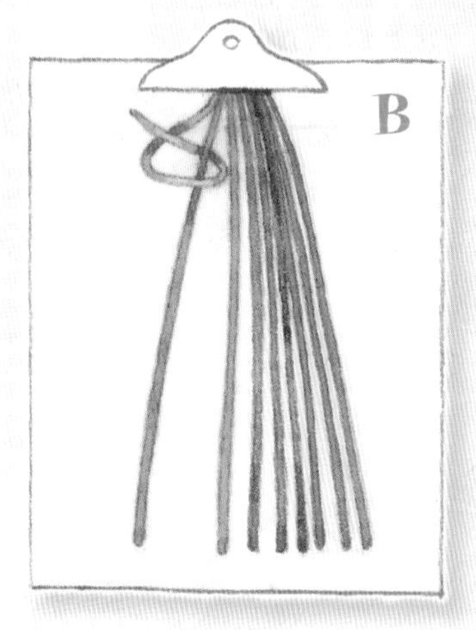

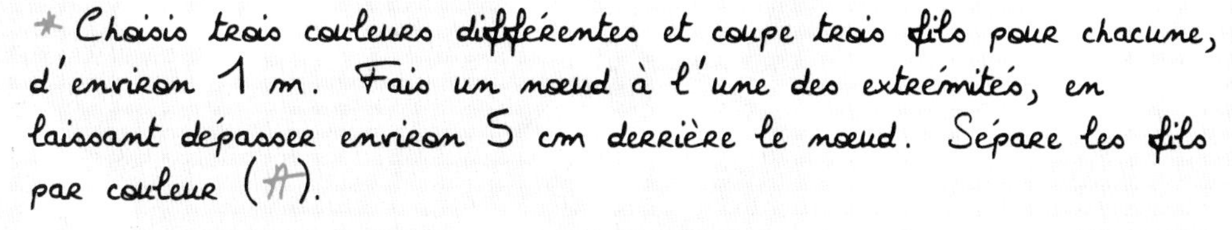

* Choisis trois couleurs différentes et coupe trois fils pour chacune, d'environ 1 m. Fais un nœud à l'une des extrémités, en laissant dépasser environ 5 cm derrière le nœud. Sépare les fils par couleur (A).

* Commence par le fil le plus à gauche et fais le « 4 » en passant par-dessous le fil situé juste à sa droite. Fais ressortir le fil gauche dans l'ouverture du « 4 » et serre délicatement (B). Répète l'opération avec chacun des autres fils, de gauche à droite, en te servant toujours du fil le plus à gauche pour faire le nœud. Une fois les huit nœuds terminés, le fil se retrouve tout à fait à droite, où il doit rester.

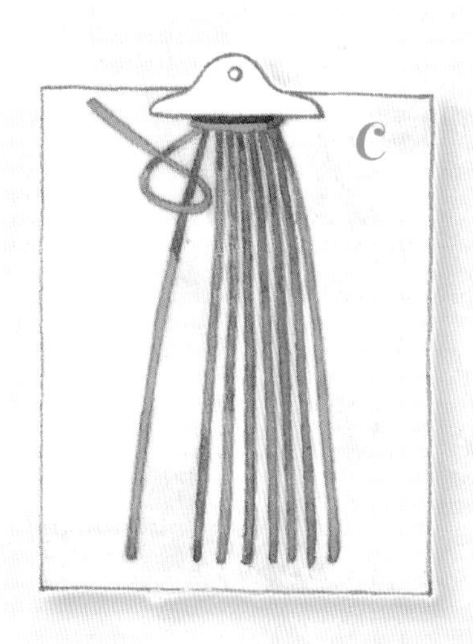

* Prends le fil qui se trouve maintenant complètement à gauche (C) et commence à le nouer aux autres fils, selon les instructions de l'étape B. Comme précédemment, une fois arrivée à droite, laisse-le en place et exécute ta nouvelle série de nœuds avec le fil qui est maintenant le plus à gauche (D). Pour réussir un beau bracelet, il faut veiller à bien serrer tous les nœuds et à bien repousser vers le haut le dernier de chaque série.

* Répète l'opération jusqu'à ce que le bracelet soit terminé. Fais un nœud avec tous les fils en laissant un peu de longueur pour attacher le bracelet à la cheville ou au poignet de ton amie.

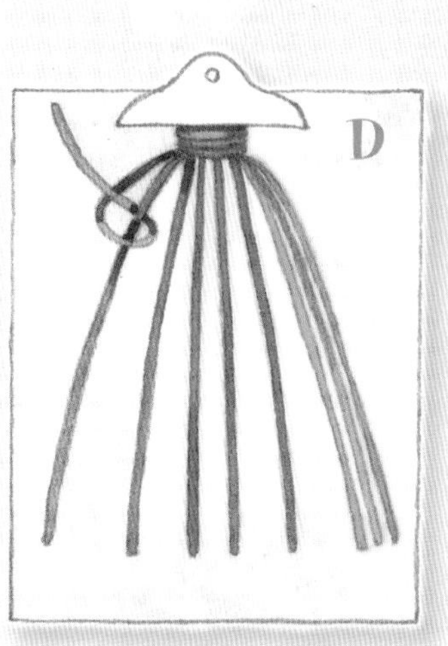

Évidemment, tu peux varier les couleurs selon ta fantaisie !

Faire la roue et le flip-flap arrière

Il n'est pas très difficile de faire la roue. Mais bien la faire, c'est une autre histoire ! Pour réussir une belle roue, il faut être en forme et soigner sa présentation, donc s'entraîner. Commence par imaginer une ligne par terre devant toi. Tu peux en tracer une à la craie ou utiliser du ruban adhésif de couleur. Cette ligne te guidera. Une belle roue, c'est aussi de jolis bras bien tendus. Alors imagine, quand tu les lèves au-dessus de ta tête, que tes bras sont deux flèches solides et, surtout, ne cède pas à la vilaine tentation de plier les coudes. Tout le monde a un côté préféré, ou une jambe préférée pour faire la roue. Dans les instructions qui suivent, on part du principe que tu fais la roue à gauche.

1 Mets-toi en position de départ : le genou de la jambe de devant (gauche) légèrement fléchi, l'autre jambe bien droite. Cette position en fente favorise la prise d'élan pour soulever la jambe de devant et aller poser la main au sol.

2 Baisse le bras gauche, qui est tendu, décolle la jambe gauche et lance la jambe droite en l'air afin de faire passer ton poids sur ta main gauche. Avec l'élan, tu devrais maintenant tourner toute seule et pouvoir poser ta main droite par terre.

3 Laisse-toi emporter par l'élan, tu vas provisoirement passer par un équilibre sur les mains puis atterrir sur le pied droit.

Conseils

Assure-toi que tu as assez de place !
Rentre le ventre pour un meilleur maintien.
Efforce-toi de garder les jambes droites et les pointes de pied tendues.
Une fois que tu maîtrises la roue, tu peux essayer de la commencer par une course d'appel.
Cela donne de l'élan et permet de faire plusieurs roues d'affilée.

Entraîne-toi en gardant bien en tête le rythme : main gauche par terre, puis main droite, puis pied droit, puis pied gauche.
Si tu retiens bien ce rythme : « main, main, pied, pied ; un, deux, trois, quatre », tu réussiras très vite une belle roue.

4 En te relevant, pose le pied gauche par terre et termine par une position en fente, bras levés, comme dans la position de départ.

Niveau supérieur

Une fois que tu maîtrises l'art de la roue, tente-la d'une seule main – pour ce faire, il te suffit de ne pas poser ta seconde main par terre ! Mais il faudra donner une impulsion un peu plus soutenue au niveau des jambes. Ce geste acquis, tu pourras rivaliser avec les meilleures.

SAUTER À L'ÉLASTIQUE

Il est difficile de retrouver les origines de ce jeu très populaire. En effet, on en trouve d'innombrables variantes, aussi bien en Australie, en Ukraine, en Norvège qu'en Chine. Il se joue avec un grand élastique pour la couture de 3 mètres de longueur pour une largeur de 1,5 cm environ, dont on a noué les extrémités.

Pour jouer, il faut être trois au minimum. Pendant que deux joueuses tiennent l'élastique, la troisième saute et réalise des séries de figures. On peut toutefois jouer seule ou à deux, à condition d'avoir des chaises suffisamment lourdes pour maintenir l'élastique. Les joueuses passent l'élastique autour de leurs chevilles et se placent debout, face à face, éloignées d'une distance suffisante pour qu'il soit tendu. Celle qui saute se place à côté du rectangle ainsi formé et commence les enchaînements suivants :

- Saut à pieds joints par-dessus l'élastique sans le toucher.
- Saut à pieds joints entre les deux brins de l'élastique et sortie à pieds joints.
- Saut à pieds joints sur le premier brin puis sur le second. Retour sur le premier et sortie libre.
- Se placer avec un pied dans l'élastique et un pied en dehors. En sautant, le pied qui était à l'intérieur sort et celui qui était à l'extérieur entre dans l'élastique. Sortie libre.
- Se placer avec un pied sur chaque brin de l'élastique : pied gauche sur le brin gauche, pied droit sur le brin droit. En sautant, on change la position des pieds sur les brins, puis on revient à la position précédente d'un nouveau saut. Sortie libre.

'ant que le saut est réussi, la sauteuse continue ; si elle perd, elle laisse sa place à la deuxième joueuse et la remplace our tenir l'élastique. Quand la première joueuse a effectué la série complète, elle prend la place d'une joueuse qui ent l'élastique et qui va maintenant sauter. Lorsque son tour reviendra, l'élastique sera monté d'un cran, à hauteur es mollets, et elle devra répéter les différentes figures. L'enchaînement peut ainsi être réalisé à différentes hauteurs genoux, cuisses, taille, épaules), en variant l'écartement des pieds (normal, jambes écartées, jambes serrées).

Trois autres figures

e sandwich

ace à l'élastique, saute sur le premier brin avec un pied et passe le second pied sous ce brin. Saute pour te retrouver dans la même osition sur le second brin. Il faut faire cela trois fois.

e Mississippi

n effectue l'enchaînement de base sur l'épellation du mot -I-S-S-I-S-S-I-P-P-I : sur « M », on saute à l'intérieur de lastique ; sur « I », on saute à l'extérieur de l'élastique (d'un té ou de l'autre) ; sur « S », on saute un pied dedans, un pied hors (et on alterne les brins à chaque « S ») ; sur « P », on place aque pied sur un brin de l'élastique. À chaque lettre scandée r celles qui tiennent l'élastique, celle qui saute doit exécuter le n saut. Si elle réussit, on monte l'élastique d'un cran.

Le chassé-croisé

Comme précédemment, face à l'élastique, place tes pieds joints sous le brin devant toi et saute par-dessus l'autre brin en emportant le premier brin. Si tu lâches le premier brin ou si tu emportes ou écrases le second, c'est raté. Si tu as réussi, les deux brins sont croisés. Place-toi ensuite parallèlement au jeu. Sans décroiser l'élastique, saute sur les deux brins. L'élastique retrouve sa position initiale tandis que toi tu dois retomber avec un pied sur chaque brin. Ensuite, l'élastique peut être placé au niveau des genoux, cuisses, etc.

Jouer aux cartes

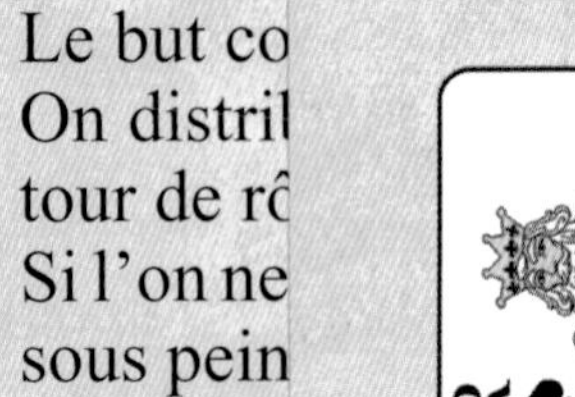

Un peu d'histoire

On pense que les premières cartes à jouer sont nées en Chine, où fut inventé le papier. Les premières cartes chinoises étaient ornées de motifs identifiables par les joueurs de mah-jong : boules ou ronds, bambous ou bâtons. En Europe, les jeux de cartes à quatre couleurs apparaissent vers 1370. À l'époque, les cartes étaient très précieuses, car elles étaient peintes à la main. Elles présentaient des motifs très différents des cartes actuelles.

Les couleurs – cœurs, carreaux, piques et trèfles – et les figures – valets, reines et rois – les

au XIVe *siè*
réputation
Au XIXe *s*
les cartes
protègent
jusque ver
représenté
pas au ver
Aujourd'h

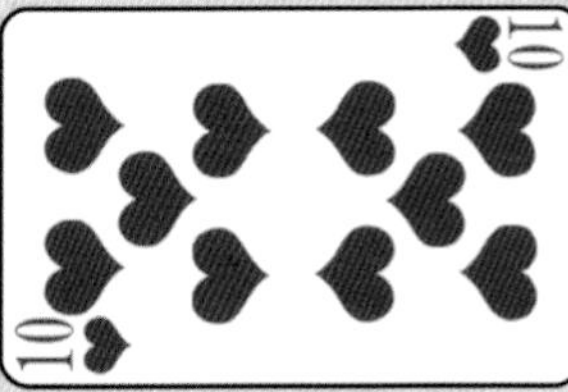

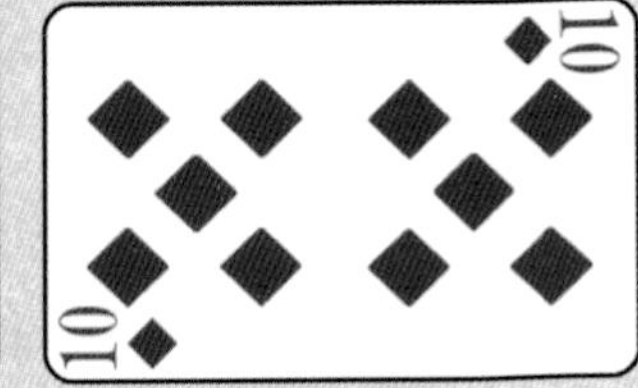

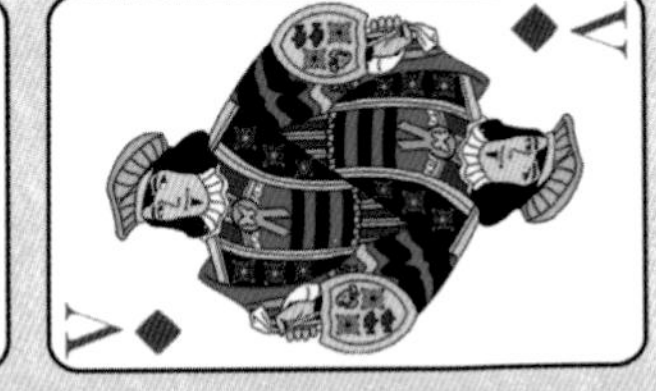

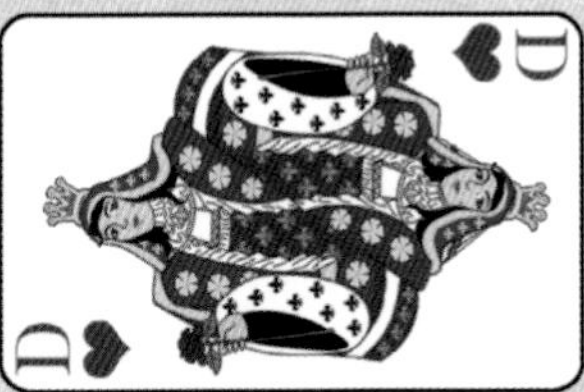
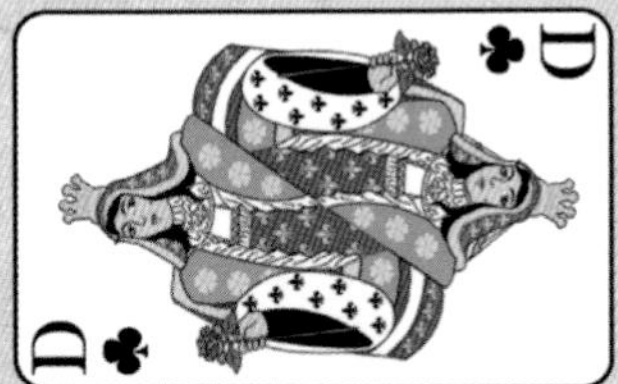
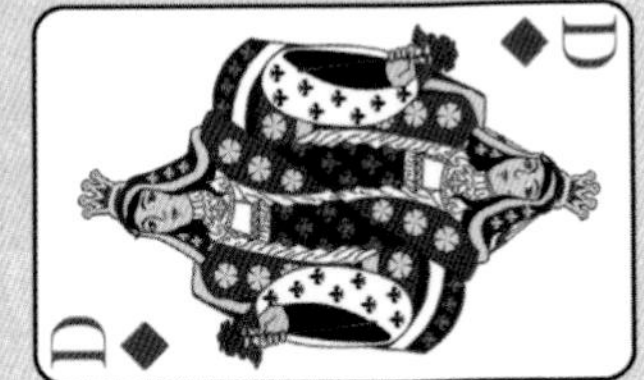
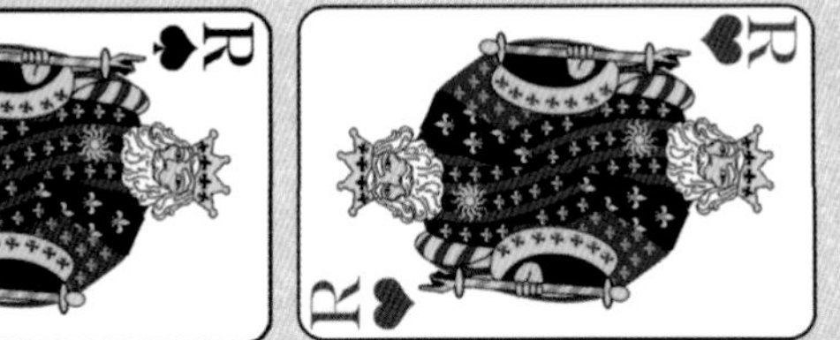

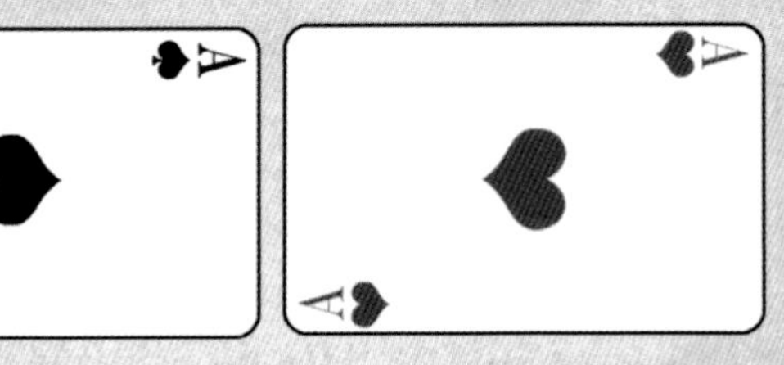

Le 8 amé
jeux de 5
Le but co
On distrib
tour de rô
Si l'on ne
sous pein

Cartes sp

– Le 2 pe
– Le 7 ob
– Le 8 a v
En le jo
– Le 10 f
– L'as obl

Cartes à découper

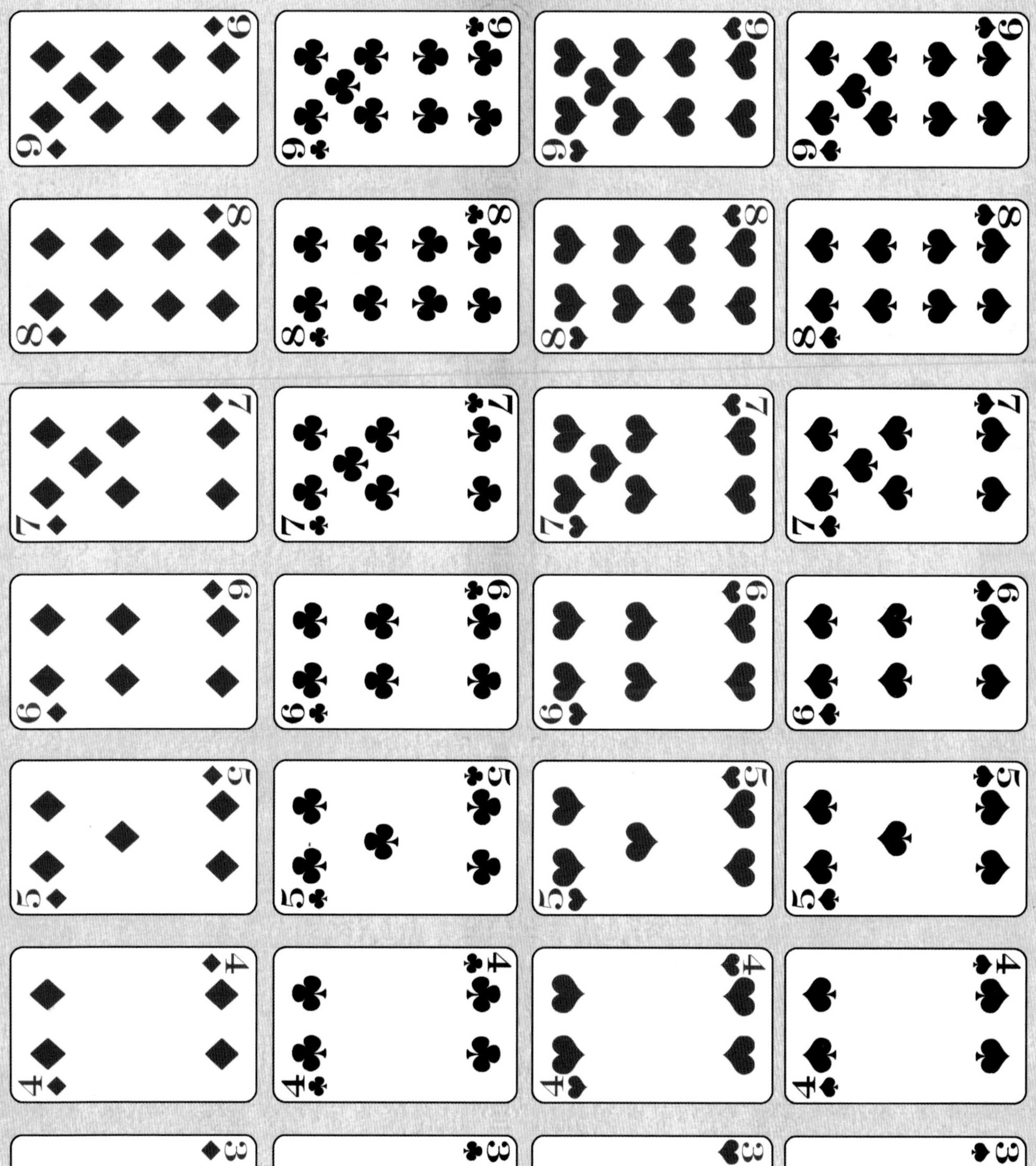

e but
ssées

uleur
arte).
ue.
euse

acun.
euse
valet,
posé

Couronnes de marguerites

Un peu, beaucoup, passionnément... tu as certainement déjà effeuillé une marguerite. Mais sais-tu qu'avec quelques-unes de ces fleurs, tu peux aussi couronner solennellement tes compagnons de promenade ?

Comment faire une belle couronne de marguerites ?

Pour commencer, cueille une vingtaine de marguerites. Prends délicatement l'une des fleurs et, au bas de la tige, mais pas tout à fait en bas, creuse une petite fente avec ton ongle.
Passe ensuite la tige d'une autre marguerite dans ce trou jusqu'à ce que la fleur tienne bien sur la première tige. Ne tire pas trop fort ; les colliers de marguerites sont très jolis, mais aussi très fragiles ! Si tu préfères laisser apparaître plus de tige entre les marguerites, place la fente un peu plus loin par rapport à la fleur. Si au contraire tu préfères une couronne bien serrée, fends la tige au plus près de la fleur et coupe le reste de la tige.
Continue ainsi jusqu'à ce que la couronne te paraisse assez grande.
Pour terminer, enroule la dernière tige autour de la première marguerite et consolide l'ensemble avec un long brin d'herbe.
Place la couronne sur ta tête, ferme les yeux et fais un vœu !

De la même manière, tu peux aussi confectionner un collier ou un bracelet.

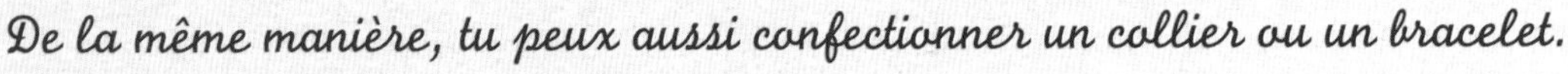

Les couronnes de lierre

Dans l'Antiquité grecque et romaine, les couronnes de lierre, de laurier et de branches d'olivier étaient décernées aux athlètes victorieux, mais aussi aux savants, aux artistes ou aux soldats méritants.
Les couronnes de lierre sont très simples à confectionner.
Les feuilles de lierre sont larges ; les tiges sont longues et épaisses. Pour commencer, trouve une bonne longueur de lierre, suffisante pour faire plusieurs fois le tour de ta tête. Ensuite, entortille le lierre sur lui-même pour former la couronne. Rentre l'extrémité et arbore ensuite ta nouvelle coiffe.

Jardin secret

Secret ou non, tu peux créer ton propre jardin !
Voici quelques idées pour aménager ton petit lopin.

Un jardin de bulbes

Il existe toutes sortes de bulbes, mais, avant tout, tu dois te préoccuper de la qualité de la terre, de l'ensoleillement et des besoins en eau des plantes. Choisis un bon emplacement, retourne la terre et ajoute un peu de compost avec quelques vieilles feuilles. Tu peux ensuite passer aux plantations proprement dites !

L'automne est la bonne saison pour planter les bulbes. Place-les à une profondeur de 15 cm environ. N'hésite pas à mélanger des crocus, des jonquilles, des tulipes et des glaïeuls. Pense aussi à planter des lys, du muguet, des jacinthes et des narcisses (officiellement, ces derniers ne sont pas des bulbes, mais ils font partie de la même famille). Leurs floraisons se succéderont du début du printemps au milieu de l'été.

Au printemps, pourquoi ne pas planter des tomates cerises et autres légumes à grignoter quand tu joues dehors ?

Lys

Tulipe

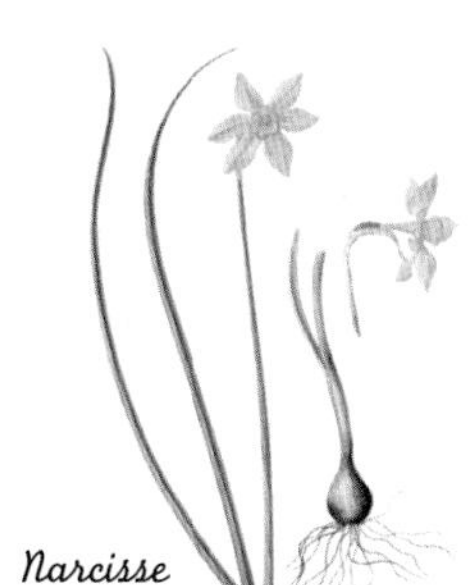
Narcisse

Crocus

Muguet

Une cabane en tournesols

Si tu possèdes déjà un repaire à toi à l'extérieur, n'hésite pas à l'agrémenter de fleurs ; une touche d'orangé avec des lys tigrés ou un massif jaune vif de rudbeckias par exemple. Les plantes à haute tige, comme l'eupatoire pourpre, qui attire les papillons, feront également très bon effet.

Tu peux aussi faire pousser des tournesols pour te faire une cabane. Voici comment procéder. Au printemps, plante les graines en cercle, en carré ou de la forme que tu veux, en laissant un peu d'espace pour former une entrée. Pour cela, retourne la terre sur 30 cm de large tout au long de la zone de plantation. Ensuite, place deux graines de tournesol par trou, en espaçant les trous de 30 cm. Quand les plants apparaîtront, tu supprimeras les moins développés. Si tu plantes des ipomées entre les tournesols, elles grimperont en s'enroulant autour des tiges des tournesols. Tu seras alors à l'abri des regards !

Arrose tous les jours et désherbe au fur et à mesure. Lorsque les tournesols sont assez hauts, passe une ficelle entre les tiges pour pouvoir réunir délicatement les fleurs et créer ainsi le toit de ta cabane. Te voici chez toi !

Tournesol

Parler en public

Si tu préfères mourir plutôt que de prendre la parole en public, sache que tu n'es pas la seule : la peur de s'exprimer en public affecte de nombreuses personnes. Pourtant, avec un peu d'entraînement, tu verras que parler devant une assemblée n'est pas forcément une épreuve pénible. Pour bien parler en public, la tactique à suivre consiste à se préparer, s'entraîner et bien se présenter. Il faut avoir un minimum de confiance en soi !

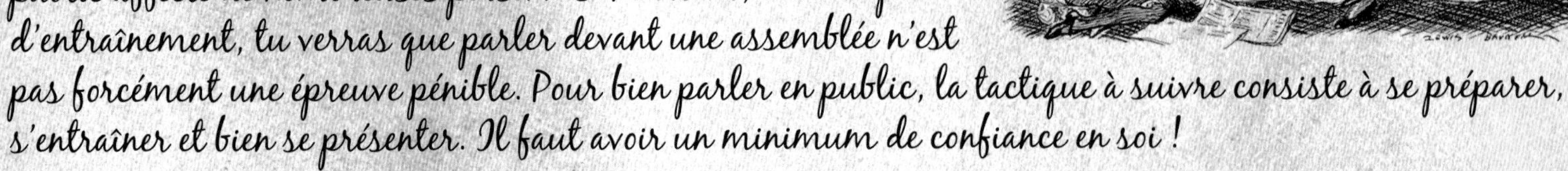

Se préparer

Savoir ce qu'on va dire

Rédige ton discours et entraîne-toi à le prononcer à haute voix. Tu n'as pas forcément besoin de le connaître par cœur, mais tu dois le maîtriser suffisamment pour pouvoir éventuellement te passer de tes notes.

Savoir à qui l'on s'adresse

Quelle que soit la performance à accomplir, il vaut toujours mieux connaître son auditoire avant de se présenter à lui. Si tu sais que tu vas devoir prendre la parole en cours d'histoire, le contexte sera bien différent de celui dans lequel tu te trouveras si tu dois porter un toast à la fête organisée pour les cinquante ans de ton père. Il faut adapter ton discours à ceux qui t'écoutent. Ainsi, personne ne s'ennuiera et ce que tu diras conviendra parfaitement à ton auditoire et au contexte.

Savoir se défendre, ou prendre la défense de quelqu'un d'autre. C'est dur d'avoir le sentiment d'être la seule à ne pas être d'accord, mais, quand quelque chose ne va pas, la fille qui n'a pas froid aux yeux sait prendre la parole pour exposer son point de vue ou pour venir en aide à quelqu'un qui a besoin d'une alliée. Rassemble ton courage et exprime-toi – le vrai courage, c'est d'avoir peur mais de le faire quand même !

Savoir où l'on va s'exprimer

Il est conseillé, dans la mesure du possible, de se familiariser avec le lieu où l'on doit prendre la parole. S'agit-il d'une vaste salle ou d'une petite pièce ? Faudra-t-il parler fort en projetant sa voix ou s'adapter à un microphone ? Faudra-t-il s'installer à un pupitre ou sur une chaise ou sera-t-il possible de se déplacer tout en parlant ? Si tu disposes de ce type d'informations, tu sais à quoi t'attendre sur place, ce qui ménage tes nerfs jusqu'au grand moment.

S'entraîner

Visualiser

Pour combattre la peur d'avoir à parler en public, imagine la situation à venir, et ton intervention parfaitement maîtrisée. Déroule la scène dans ta tête, de bout en bout, et visualise-toi en pleine réussite.

Concrétiser

Il est important de prendre le temps de t'entraîner à dire ton discours à l'avance – seule, devant tes proches, devant tes amies, ton chat, bref tous ceux qui voudront bien t'écouter. Mieux vaut écrire le texte sur des fiches ou l'imprimer en très gros caractères, afin de pouvoir t'y reporter facilement, retrouver ce que tu veux dire, sans oublier de relever les yeux pour le dire. Entraîne-toi jusqu'à ce que cela devienne parfaitement naturel. Ainsi, tu te sentiras moins déstabilisée une fois sur scène ou devant la classe. Lors de tes entraînements devant des auditoires bienveillants, tu te rendras compte que les autres veulent te voir réussir, qu'ils ont envie d'écouter ce que tu as à leur dire et qu'ils veulent que tout se passe bien pour toi.

S'exercer
Si, avant de prendre la parole, tu dois patienter parce que d'autres doivent s'exprimer avant toi, cela t'aidera de sortir de la pièce pour effectuer quelques exercices de respiration. Inspire alors lentement par le nez et expire par la bouche. Si tu es trop nerveuse pour respirer correctement, essaie de canaliser cette énergie en effectuant une brève série de sauts ou bien secoue les bras et les jambes. Ensuite respire profondément jusqu'à ce que tu te sentes calme et concentrée.

DISTRIBUTION DES PRIX

Petits conseils rapides

Se présenter

Tout va bien
Quelle que soit la manière dont tu vis cette épreuve, dis-toi que c'est très bien, car à chaque prise de parole en public tu acquiers un peu plus d'expérience. Si tout se passe bien, cela prouve qu'il n'y a pas de raison que cela se passe mal la prochaine fois. Si, au contraire, tu ne trouves pas l'expérience concluante, tu sais maintenant que tu peux survivre au pire ! Ou, plutôt, que cela n'est pas si grave. Dans tous les cas, c'est une bonne expérience, et peu à peu tu prendras confiance en toi. C'est la qualité fondamentale pour parvenir à bien s'exprimer.

Ce n'est pas toi qu'on juge
Souviens-toi, au moment où tu commences ton exposé, que ce qui compte c'est ce que tu dis, et non pas qui tu es. Pour t'aider, concentre-toi sur le message que tu veux faire passer. Au lieu de penser à tout ce qui pourrait tourner mal pendant que tu parles, focalise ton attention sur le contenu de ton discours.

La réussite dépend de toi
Le fait que tes nerfs lâchent ou, au contraire, qu'ils te permettent de remporter victorieusement cette épreuve dépend entièrement de toi. Toi seule peux maîtriser ton comportement. Si tu as un trac terrible, à toi de transformer cette énergie en vitalité et en éloquence. Inspire profondément et lance-toi !

Impressionner par des mots

Il est important pour une fille audacieuse de savoir parfois briller dans la conversation en utilisant un terme un peu moins ordinaire. Voici quelques mots bien choisis pour impressionner ton auditoire.

Alangui, -ie ***adj*** Sans énergie, nonchalant, amorphe.

Aléatoire ***adj*** Qui dépend du hasard.

Amphigourique ***adj*** Obscur, alambiqué, ampoulé.

Antépénultième ***adj*** Qui précède le pénultième (l'avant-dernier), autrement dit le troisième à partir du dernier.

Belliqueux, -euse ***adj*** Qui aime la guerre ; agressif, querelleur.

Crépusculaire ***adj*** Sombre, évoquant la lumière du soir, du soleil couchant.

Diaphane ***adj*** Pâle, presque transparent ou translucide.

Diatribe ***nf*** Critique amère, violente et injurieuse.

Écholalie ***nf*** Répétition systématique, souvent pathologique, des fins de phrases de son interlocuteur.

Gustatif, -ive ***adj*** En rapport avec la perception des saveurs par le goût.

Inéluctable ***adj*** Inévitable, contre quoi il est impossible de lutter.

Kalepomentaneïnomineïologie ***nf*** Nouveau mot, créé par nous, désignant l'art d'employer des mots difficiles à mémoriser.

Kyrielle ***nf*** Longue suite de choses qui n'en finissent pas.

Limpide ***adj*** Clair et transparent comme l'eau, compréhensible.

Melliflu, -ue ***adj*** Qui a la douceur, la suavité du miel.

Obséquieux, -euse ***adj*** Flatteur, d'une politesse exagérée.

Pantagruélique ***adj*** Digne du personnage de Rabelais, le géant Pantagruel, à l'appétit énorme.

Périssable ***adj*** Non durable, fragile, éphémère.

Pernicieux, -euse ***adj*** Néfaste, maléfique, nocif.

Persiflage ***nm*** Moqueries ; propos ironiques.

Prosaïque ***adj*** Banal, sans éclat, terre à terre.

Rébarbatif, -ive ***adj*** Ennuyeux, monotone ; grincheux.

Séraphique ***adj*** Angélique, divin, harmonieux.

Yole ***nf*** Embarcation étroite, légère et rapide.

Xylophage ***nm*** ou ***adj*** Qui se nourrit de bois.

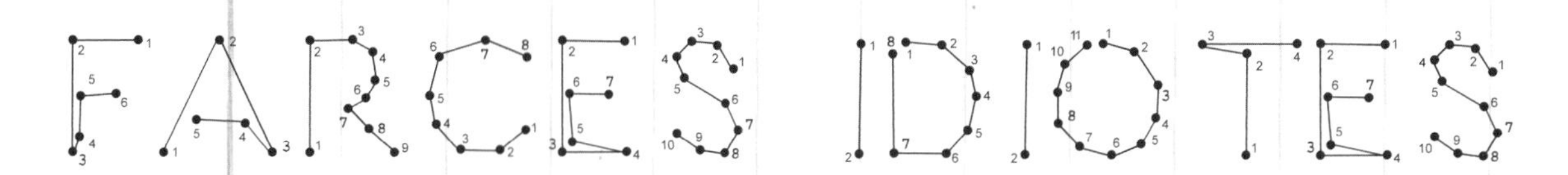

Voici trois tours classiques que toute fille se doit de maîtriser !

La bombe puante

La recette traditionnelle est à base de valériane. Pour la réaliser, procure-toi les éléments suivants et installe-toi à l'extérieur, dans une cour ou un jardin :

- Un petit bocal avec un couvercle
- Une cuillère à café
- Du vinaigre
- De la racine de valériane en poudre – c'est l'ingrédient essentiel. Tu peux t'en procurer dans une herboristerie ou dans un magasin qui propose des produits diététiques. Si elle est vendue sous forme de gélules : ouvre-les pour en recueillir le contenu. Si ce sont des feuilles de valériane que tu trouves, réduis-les en poudre.

Mélange dans le bocal une grosse cuillerée à café de poudre de valériane avec 2 cuillerées à café de vinaigre, ferme bien le bocal et secoue-le très fort. Dès que tu es prête à lâcher ta bombe puante, ouvre le bocal (ne le lance surtout pas), crie « gare au putois ! » et prends tes jambes à ton cou.

Le lit en portefeuille

Pour ce classique des colonies de vacances, il faut savoir faire un lit en rentrant les draps sous le matelas !

- Pour commencer, entraîne-toi donc à faire un lit normal : installe le drap du dessous, puis place le drap de dessus et rentre-le au pied du lit et sur une partie des côtés. Étends ensuite la couverture par-dessus, rentre aussi les bords et replie soigneusement le haut du drap sur la couverture. Admire ensuite le résultat, car c'est à cela que doit ressembler le lit en portefeuille.
- Pour faire un lit en portefeuille, il suffit de modifier la position du drap de dessus. Au lieu de le glisser sous le matelas au pied du lit, rentre-le à la tête du lit. Étends-le normalement jusqu'à la moitié du lit, et là replie-le vers l'oreiller. Pose la couverture par-dessus et replie quelques centimètres de drap par-dessus pour lui donner l'allure d'un lit bien fait. Ainsi, celui qui se couchera ne pourra pas étendre ses jambes !
- **Important** : ne fais pas cette blague à quelqu'un qui se vexe facilement, mais seulement à des amis qui ont de l'humour !

Il te faut :
- Du sirop d'érable
- De la farine
- Du colorant alimentaire rouge
- Un bocal avec un couvercle
- Une cuillère
- Un compte-gouttes

Le faux sang

Voici un canular facile à préparer pour effrayer tes amies. Installe-toi à l'extérieur, vêtue de préférence de vêtements qui ne craignent rien !

Mélange dans le bocal 4 petites gouttes de colorant alimentaire, 2 cuillerées à café d'eau et 1 à 2 cuillerées à café de farine, ferme le bocal et secoue-le fortement. Ajoute ensuite 2 cuillerées à soupe de sirop d'érable et secoue de nouveau. Voilà du faux sang ! Répands des gouttes de faux sang à l'aide du compte-gouttes ou d'une cuillère, et concocte une bonne histoire.

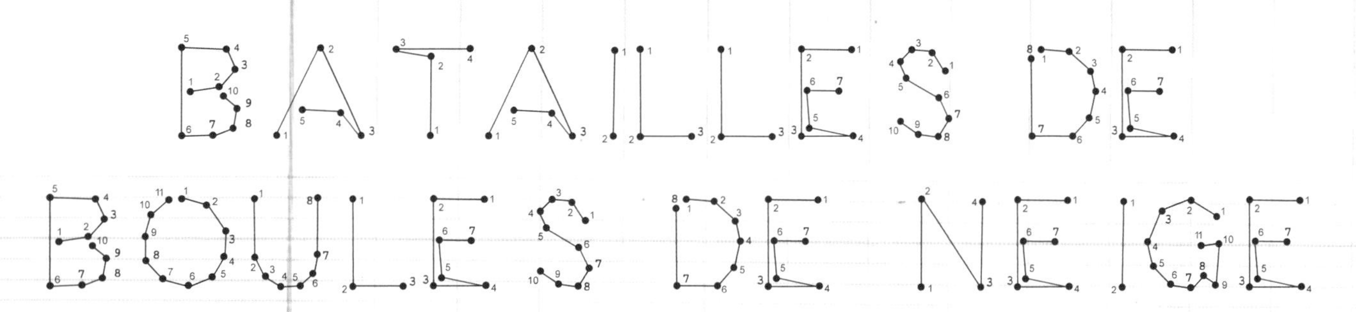

BATAILLES DE BOULES DE NEIGE

Il est peut-être interdit de se battre à coup de boules de neige dans la cour de récréation, mais cela ne devrait pas t'empêcher d'organiser une belle bataille avec les amies de ton quartier. Il faut que tout le monde se mette d'accord sur quelques règles de base, par exemple interdire les morceaux de glace, et ne jamais viser la tête !

Les principaux types de neige

La poudreuse. Le plus souvent, elle tombe lorsqu'il fait très froid. Elle contient peu d'humidité et beaucoup d'air. Les skieurs l'adorent, mais pas les amateurs de bataille de boules de neige, car elle est trop sèche pour bien se tasser.

La neige fondue. Personne n'aime cette neige pleine d'eau dont on ne peut pas faire de boule.

La glace. C'est de la neige qui a fondu, puis gelé à nouveau. Mieux vaut ne pas y toucher car une boule de glace fait mal. C'est le meilleur moyen de gâcher le plaisir de tous !

La neige adaptée aux batailles de boules de neige. Elle se forme à des températures voisines de zéro. On la reconnaît au premier coup d'œil. Aérée mais ferme, elle se roule très facilement en boule dans les mains.

Pour faire une magnifique boule, ramasse une bonne poignée de neige. Tasse-la bien en la tournant entre tes deux mains. Une fois qu'elle est bien compacte, lisse-la puis rajoute de la neige pour qu'elle soit plus grosse. Tu peux t'en faire des réserves ou bien les faire au fur et à mesure !

Après avoir joué plusieurs heures dans la neige, rentre vite te réchauffer mais pas sans avoir rempli une casserole de neige fraîche. À l'intérieur, l'un de tes parents attentionnés aura – comme par magie – pris soin de faire chauffer un peu de sirop d'érable sur le feu (à 113° C !). Verse le sirop en ruban sur la neige et savoure ta tire d'érable (spécialité québécoise).

Fabriquer une pile au citron

Deux citrons, un petit tour au magasin de bricolage, et te voilà prête à transformer une énergie chimique naturelle en énergie électrique. Le physicien italien Alessandro Volta inventa la pile électrique en 1800, en associant du zinc, du cuivre et de l'acide. Un simple citron peut fournir l'acide (de même que les pommes de terre, dont tu peux te servir si tu n'as pas de citron sous la main), alors pourquoi ne pas te fabriquer une pile pour alimenter ton horloge électronique ?

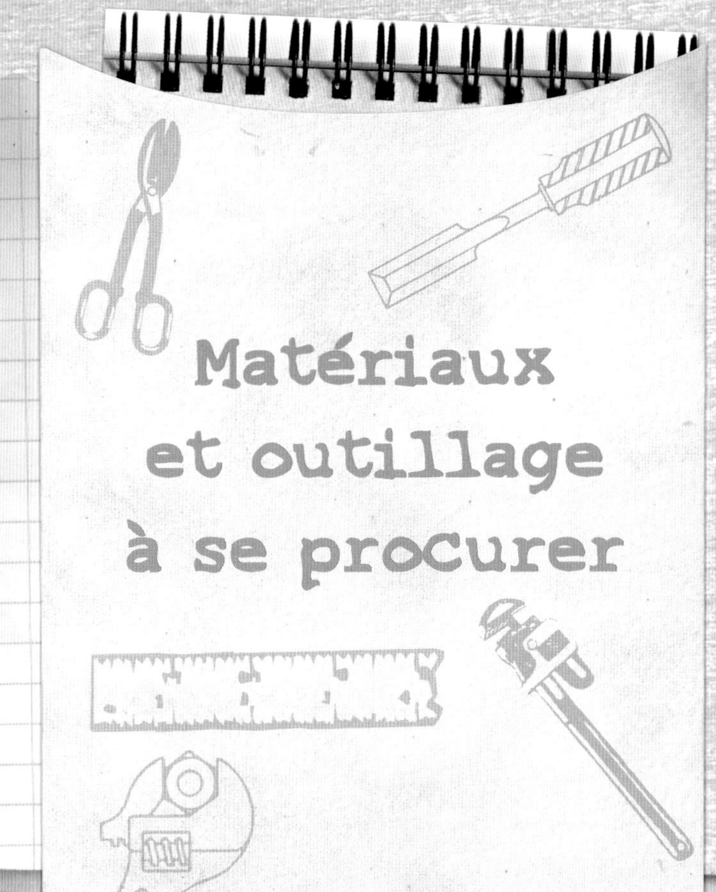

Première étape Pose les citrons sur une assiette ou sur une surface plane pouvant servir de base à l'horloge. Enfonce un clou dans chaque citron, puis une longueur de fil de cuivre, aussi loin que possible des clous. Numérote tes citrons « un » et « deux ». Maintenant, il te faut créer un circuit fermé afin que l'énergie puisse circuler entre le citron et la pendule.

Deuxième étape Ouvre le compartiment contenant les piles de l'horloge. Selon le modèle, tu trouveras deux piles AA ou une seule pile plate. Retire la pile (son énergie sera remplacée par la pile au citron que tu vas bricoler !). Repère les pôles positif et négatif.

Troisième étape Sur le citron n°1, branche le fil de cuivre au pôle positif de la pendule à l'aide du trombone. C'est le plus difficile. Si tu n'arrives pas à brancher le fil au pôle positif dans le compartiment à piles de l'horloge, il te faudra ouvrir l'horloge en en retirant le fond. Demande à un adulte de t'aider, mais n'oublie pas qu'une fois la pendule démontée il ne sera peut-être pas possible de la remonter ! À l'intérieur, tu vois que les pôles positif et négatif sont reliés aux fils internes de la pendule. Tu peux retirer les fils situés à l'arrière du compartiment des piles et t'en servir pour tes propres branchements. Si ton horloge fonctionne avec deux piles AA et que tu trouves deux fils positifs à l'intérieur, veille bien à brancher ton fil de cuivre aux deux.

Quatrième étape Sur le citron n°2, branche le clou au pôle négatif de l'horloge. Tu auras peut-être besoin de déplacer le citron pour relier le clou à l'horloge.

Cinquième étape Relie le fil de cuivre du citron n°2 au clou qui sort du citron n°1. Tu dois maintenant avoir réalisé un parfait circuit électrique qui va de l'horloge à l'un des citrons, puis au second citron et retour à l'horloge. Si tout va bien, celle-ci fonctionne !

COMMENT FONCTIONNE UNE PILE AU CITRON ?

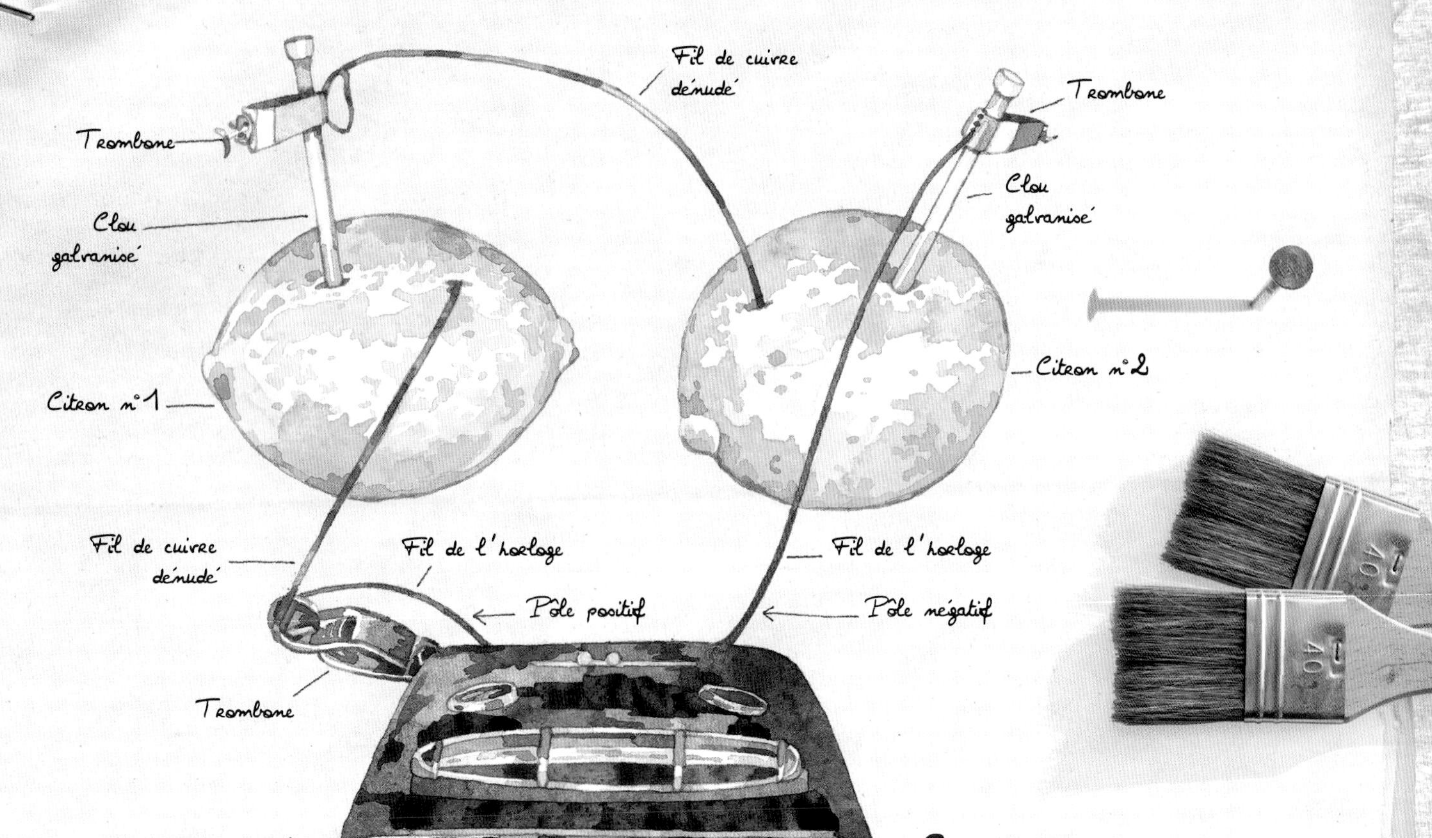

1. Les clous galvanisés sont recouverts d'une couche de zinc. Le citron, lui, contient de l'acide capable de dissoudre le zinc. Sur le plan chimique, cela signifie que le zinc perd un électron et devient positif. L'humidité du citron agit comme un électrolyte, un fluide conducteur pour les électrons – si tu veux, c'est un peu comme une piscine pour électrons.

2. L'électron jaillit du zinc et traverse le citron puis entre en réaction avec le cuivre. Le cuivre, ainsi chargé d'un électron supplémentaire, devient négatif. Cet échange d'électrons est une réaction chimique, qui génère une énergie chimique.

SI L'HORLOGE NE FONCTIONNE PAS, VÉRIFIE TOUS LES BRANCHEMENTS, PUIS REPRENDS LES INSTRUCTIONS UNE PAR UNE. SI, DANS PLUSIEURS MOIS, LA PENDULE S'ARRÊTE, REMPLACE LES CITRONS, OU LES CLOUS.

3. L'échange d'électrons s'effectue dans le circuit que tu as établi : du zinc du clou au fil de cuivre, puis à l'horloge et au fil de cuivre, au clou, au citron, au cuivre, au zinc du clou, au citron, etc. C'est ça, la transformation de l'énergie chimique en électricité, et c'est ce qui fait que l'horloge fonctionne aussi bien qu'avec une pile du commerce.

La réussite

En attendant de pouvoir inviter tes amies pour des parties de Barbu endiablées, voici comment jouer seule aux cartes. Il existe différentes sortes de réussites (également appelées « patiences » ou « solitaires »), plus ou moins complexes, et comportant différentes variantes. Celle-ci est l'une des plus classiques, à tenter avec un jeu de 52 cartes, que tu auras pris soin de battre efficacement.

Disposer les cartes

Pose en ligne une carte à l'endroit et six cartes à l'envers. Sur la deuxième carte – qui est la première carte à l'envers –, pose une carte à l'endroit, en laissant dépasser le haut de la carte qui est dessous (les cartes se chevauchent). Sur les 5 cartes à l'envers qui suivent sur cette première ligne, pose 5 cartes à l'envers. Continue ainsi jusqu'à obtenir la configuration suivante : 7 colonnes de cartes ; la première colonne comporte seulement une carte à l'endroit ; la deuxième colonne comporte deux cartes, dont seule celle du dessus est à l'endroit ; la troisième colonne comporte trois cartes, avec celle du dessus à l'endroit, et ainsi de suite jusqu'à la septième colonne. Les cartes restantes se placent face cachée, en un seul tas qui constitue la pioche.

But du jeu

Obtenir quatre piles de cartes, rangées par couleur, de l'as au roi, dans l'ordre.

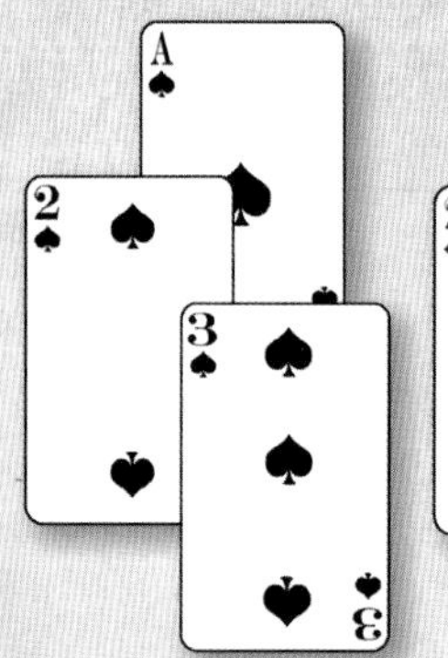

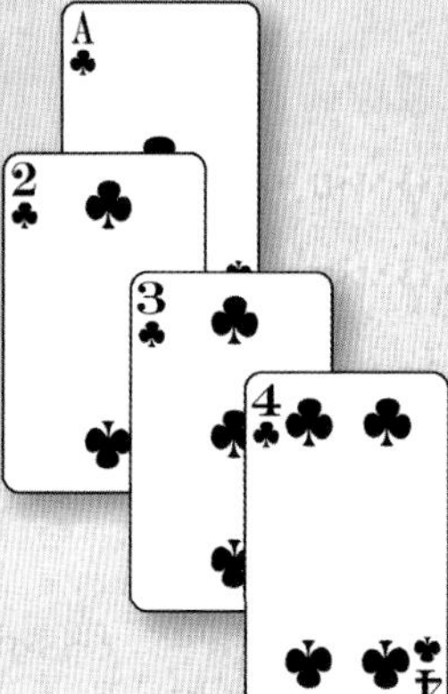

Pour commencer

On a le droit de prendre uniquement les cartes à l'endroit, c'est-à-dire celles qui sont sur le dessus, en bas des colonnes. Au début, il faut trouver les as (peut-être as-tu la chance d'en avoir déjà un parmi les cartes qui sont à l'endroit ?) et les placer à part, là où tu vas progressivement construire tes quatre piles. Puis il faut repérer et libérer les 2, les 3, les 4, etc.

Déplacement des cartes

Pour déplacer les cartes – une carte ou un groupe de cartes –, il faut que, dans chaque colonne, tu respectes strictement l'ordre décroissant des valeurs, et l'alternance « carte rouge » (cœur ou carreau) et « carte noire » (trèfle ou pique). Par exemple, tu peux déplacer un 8 noir sur un 9 rouge, un valet rouge sur une dame noire…

Ici, tu peux poser le 10 de trèfle sous le valet de carreau, la dame de pique sous le roi de carreau, l'as de trèfle en haut, avec les as, et le 3 de cœur sur le 2 de cœur en haut également. Ces déplacements te permettent de retourner de nouvelles cartes… et de continuer le jeu !

Si tu n'as pas d'as à ta disposition et si tu ne peux pas faire progresser tes piles en respectant les règles de déplacement, commence à utiliser la pioche. Dans un premier temps, tu as le droit de découvrir une carte sur trois. À chaque fois, regarde bien si tu peux la placer quelque part sur le jeu. Parfois, une simple carte retournée te permet de « débloquer » la situation, et tu peux alors enchaîner les déplacements et faire progresser tes piles. Lorsque tu ne peux plus rien faire, utilise de nouveau la pioche et continue à découvrir une carte sur trois. Lorsque la situation est bloquée et que tu passes en revue toute la pioche (une carte sur trois) sans parvenir au moindre déplacement, tu peux alors découvrir une à une toutes les cartes de la pioche, mais, attention, dans l'ordre où elles apparaissent… et une seule fois !

Tu remarqueras qu'il n'est pas possible de déplacer un roi (seul ou avec la série de cartes de moindre valeur qui l'accompagne), sauf si tu as pu caser toutes les cartes d'une colonne dans tes quatre piles. Dans ce cas seulement, une colonne entière s'étant libérée, tu peux déplacer le roi et retourner la carte à l'envers qu'il recouvrait.

Si c'est un échec, tu auras envie de tout recommencer depuis le début pour réussir à « boucler » les quatre piles de cartes par couleur et en ordre croissant !

Cléopâtre

Cléopâtre VII est la dernière d'une longue lignée de reines de l'ancienne Égypte. Aimée de Jules César, puis de Marc Antoine, elle règne de 51 à 30 av. J.-C. sur la Méditerranée orientale. C'est l'écrivain grec Plutarque qui la fait entrer dans la légende. Si l'on en croit ses écrits, Cléopâtre n'était pas d'une beauté conventionnelle, mais était dotée d'une personnalité envoûtante et d'un charme irrésistible. On dit aussi que le son de sa voix était exquis, tout comme son intelligence et son humour.

Fille du roi Ptolémée XII, Cléopâtre naît à Alexandrie en 69 av. J.-C. À la mort de son père en 51 av. J.-C., Cléopâtre, qui n'a que 18 ans, lui succède ainsi que son frère Ptolémée XIII. Tout au long de son règne, elle s'emploiera à défendre l'indépendance de l'Égypte face à l'expansion de Rome. En 50 av. J.-C., les armées romaines ont déjà conquis la plupart des États voisins. De plus, Ptolémée XII avait conclu des alliances contestées avec Rome, leur cédant notamment l'île de Chypre.

Les premières années du règne de Cléopâtre sont marquées par les querelles incessantes qui l'opposent à son frère, par les difficultés économiques qui touchent le royaume et par la violence qui sévit à Alexandrie. Alors que les combats font rage, un soldat de Ptolémée XIII assassine le général romain Pompée, espérant ainsi gagner Jules César à la cause du frère de Cléopâtre, qui rêve de devenir l'unique pharaon d'Égypte. Mais, au contraire, ce meurtre déclenche la colère de César, et Ptolémée XIII doit quitter le pays. C'est ainsi que Cléopâtre devient l'unique reine d'Égypte. Nommée pharaon et reine des rois par César, elle se présente comme l'incarnation d'Isis, la déesse égyptienne. Le conquérant et la reine tombent amoureux et donnent naissance à un fils, surnommé Césarion. Mais, peu après, une conspiration menée par des sénateurs romains fait assassiner César aux célèbres ides de mars (le 15 mars 44 av. J.-C.).

Après la mort de César, Octave, Lépide et Marc Antoine exercent le pouvoir à Rome. Chargé des provinces orientales du territoire romain, Marc Antoine convoite l'Égypte. En 41 av. J.-C., il convoque donc Cléopâtre, qui finit par accepter de le rencontrer dans la ville de Tarse. Arrivée en grande pompe à bord d'un magnifique navire à la coque dorée et muni de voiles pourpres, Cléopâtre exige d'Antoine qu'il la rejoigne à bord pour discuter. Ils se rencontrent... et Marc Antoine est à son tour séduit par la reine. Il quitte alors Rome pour s'installer à Alexandrie auprès de Cléopâtre. Pendant son absence, malgré l'estime que lui porte le peuple, il perd du terrain au profit d'Octave, qui est l'héritier désigné de César. C'est en effet avec l'appui du sénat qu'Octave va déclarer la guerre à Antoine et Cléopâtre. En 31 av. J.-C., c'est la bataille d'Actium, en Grèce, qui voit la victoire d'Octave et de son général Agrippa.

Denier d'argent avec les portraits d'Antoine et de Cléopâtre (32 av. J.-C.)

Cette bataille est un désastre pour Cléopâtre. Elle repart pour Alexandrie, suivie d'Antoine, qui a essuyé de lourdes pertes. Peu après, les troupes romaines entrent dans Alexandrie et Antoine met brutalement fin à ses jours. Quant à Cléopâtre, après avoir tenté en vain d'obtenir la clémence d'Octave, elle se suicide à son tour (elle se serait fait mordre par une vipère). Une ère s'achève tandis qu'une autre commence. Une fois la reine vaincue, l'Égypte devient une province romaine. Le règne de Cléopâtre, dernière souveraine de la dynastie des Lagides, marque ainsi la fin de l'Égypte hellénistique indépendante.

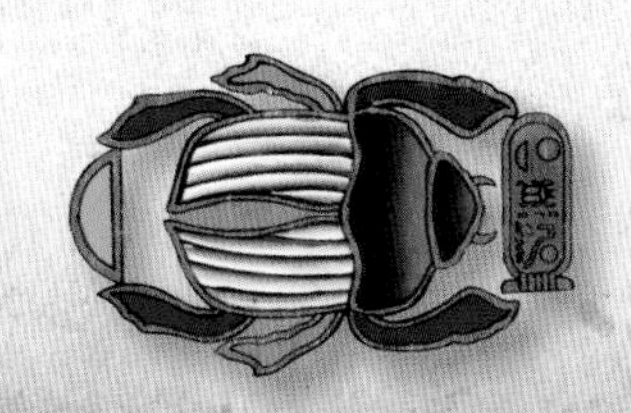

LES RÈGLES DU BASKET

Créé aux États-Unis en 1891 par James Naismith, le basket se pratiquait alors avec un ballon de foot et des cageots de pêches placés en hauteur. Les filles jouaient en jupons de style victorien, blouse de mousseline blanche et chaussons de soie. Heureusement, le code vestimentaire a bien changé ! Les filles peuvent désormais découvrir le basket à l'école, et même rêver de devenir des joueuses professionnelles.

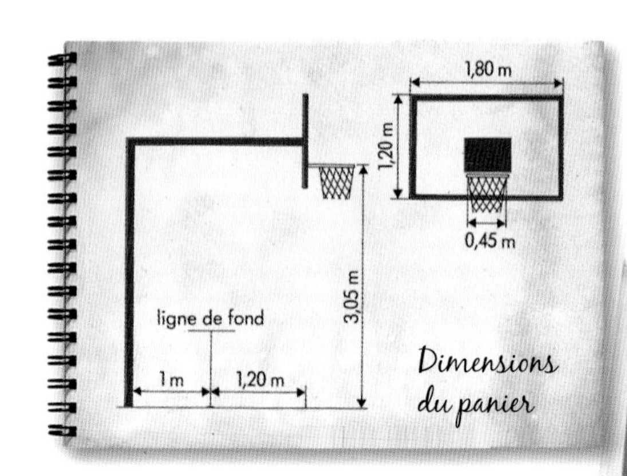

Dimensions du panier

L'ÉQUIPE

L'arrière :
Elle est douée en particulier pour les paniers à trois points, marqués à distance, et pour le délicat double pas, effectué en pleine course. Habile avec le ballon, elle sait lancer, dribbler et tirer les yeux fermés.

Le pivot :
C'est la joueuse la plus forte, la plus grande et celle qui saute le plus haut. Elle règne sur la ligne de lancer franc et elle tire juste sous le panier. Au cœur de l'action, elle crée l'espace de tir pour marquer ; en défense, elle joue un rôle majeur au rebond.

La petite ailière :
Elle tire, court, passe le ballon et marque, marque encore et toujours. C'est la joueuse la plus complète, elle peut remplacer n'importe laquelle de ses coéquipières.

L'ailière forte :
Lorsque l'équipe adverse vient de marquer, elle s'empare du ballon au rebond, puis remonte rapidement le terrain en dribblant pour faire la passe au pivot. C'est également une bonne tireuse. À vrai dire, toutes les joueuses doivent savoir tirer.

La meneuse :
C'est la plus petite, la plus rapide et la plus habile à manier le ballon. Capitaine de l'équipe, la meneuse ne tire pas beaucoup, mais elle dirige le jeu en attaque.

TECHNIQUES DE BASE

Dribbler : Creuse la paume de la main afin de faire rebondir le ballon du bout des doigts. Le bras doit effectuer un mouvement de bas en haut et inversement. Entraîne-toi à faire rebondir le ballon ni trop haut ni trop bas, jusqu'à parvenir à dribbler sans regarder ce que tu fais. Dans l'action, on n'a pas le temps de suivre le ballon des yeux. Il y a trop à faire pour empêcher les autres joueuses de s'en emparer et les tenir à distance en tendant le bras qui ne dribble pas.

Marquer : Si tu tires de l'intérieur de la raquette, tu marques deux points. De l'extérieur, c'est trois points. Si quelqu'un commet une faute sur toi, tu peux tirer un lancer franc depuis la ligne prévue à cet effet et marquer un point.
On s'imagine souvent que le basket nécessite beaucoup de force dans les bras. Ce n'est pas totalement vrai, car le plus important c'est la force qu'on a dans les jambes. Plus on a des jambes solides, plus on a de force pour envoyer le ballon, et plus il est facile d'effectuer des tirs en suspension.
Comment raffermir ses jambes ? En sautant. Pour t'entraîner, monte et redescends le terrain cinq fois en sautant, fais des sauts en longueur, des sauts courts, saute sur le bord du trottoir, dans la rue ou chez toi. Saute, saute et saute encore !

6 m
1,20 m
1,80 m
5,80 m

La raquette

Passer : Lance le ballon à une joueuse qui est bien placée pour tirer ou qui est en mesure de le protéger de l'équipe adverse.

Tirer : Tends les bras en avant, les coudes légèrement pliés. Le bras le plus fort tient le ballon, l'autre le soutient. Les mains sont rapprochées, les doigts écartés. Bascule le poignet en arrière et propulse le ballon en direction du panier. Pour t'amuser, tu peux essayer le tir en suspension. Pour cela, fléchis un peu les jambes et avance un pied, en gardant les épaules face au panier. Bras levés, bascule les poignets vers l'arrière. Vise le panneau. Pendant le tir, reste détendue, regarde l'anneau, redresse les poignets et propulse le ballon en sautant, le dos légèrement en arrière. La force des jambes se transmet jusque dans les bras pour envoyer le ballon en direction du panier. En perfectionnant ce type de tir, tu peux marquer davantage de points même si les défenseuses adverses tendent les bras pour te faire obstacle.

Tir en suspension

ENCORE PLUS FORT

Le basket ne manque pas de gestes techniques pour impressionner la galerie : faire rebondir le ballon sous une jambe, entre ses jambes, smasher ou faire une pirouette après avoir tiré. D'un simple mouvement de poignet, on peut même faire passer le ballon sur le bout de son index pour l'y faire tourner sur lui-même.

Rebond dans le dos : D'abord, il faut maîtriser le dribble croisé. Au lieu de dribbler d'une main comme d'habitude, fais rebondir le ballon de la main droite puis reprends le dribble de la main gauche. Fais rebondir le ballon de la main gauche et rattrape-le de la main droite. Continue à aller et à venir en faisant rebondir le ballon de cette façon. C'est ce qu'on appelle le dribble croisé. Ensuite, essaie de croiser dans le dos. D'un dribble de la main droite, fais rebondir le ballon derrière toi, puis reprends le dribble de la main gauche.

FABRIQUER UNE TROTTINETTE

Pour celles qui ne reculent devant rien, ce sera l'occasion de s'exercer à manier le bois et les boulons, mais aussi de faire preuve de patience et d'obstination ! En effet, en bricolant, il arrive que l'on se trompe ou que tout ne se passe pas comme prévu. Il faut alors savoir rechercher et comprendre le problème... et recommencer. Quand tu seras enfin prête à jouer les reines du bitume, n'oublie pas ton casque !

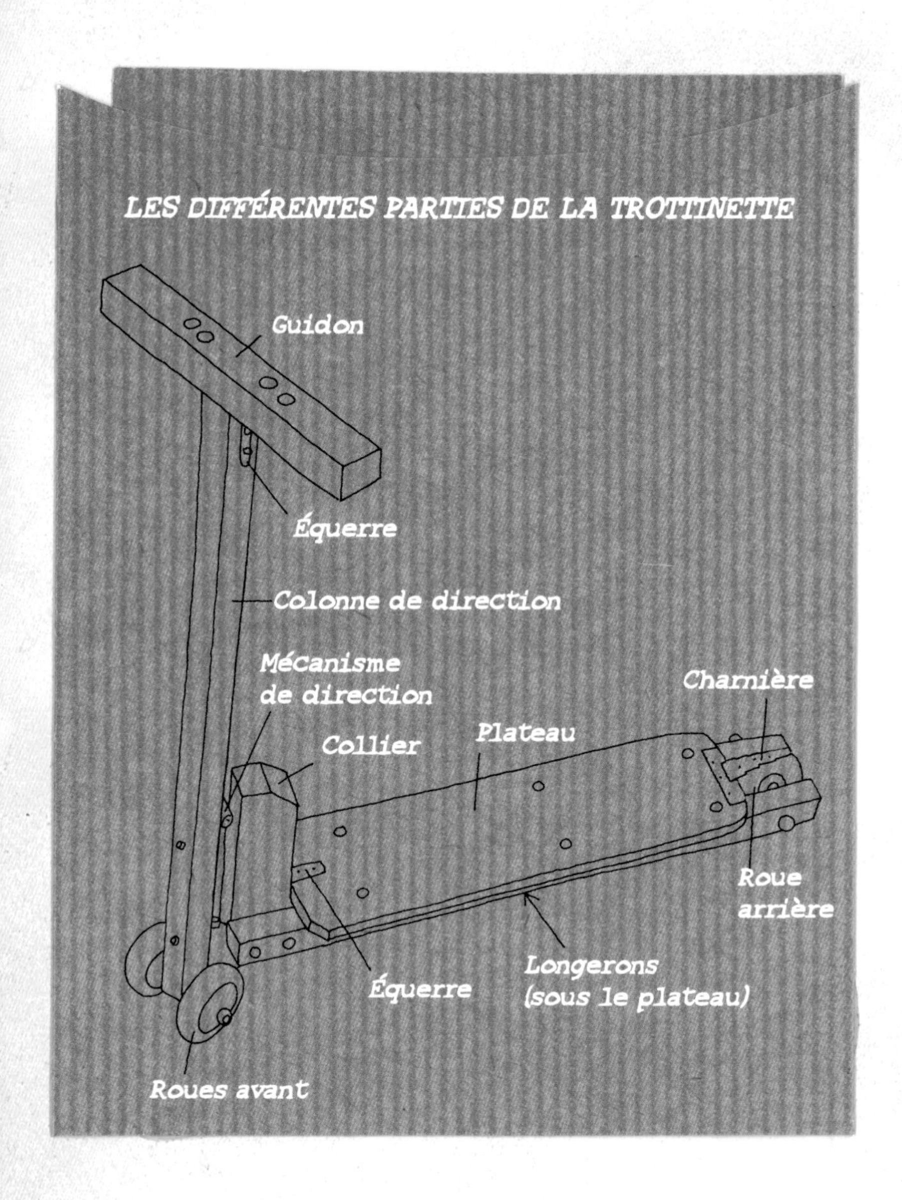

* Pour le guidon de 30 cm, trace une ligne verticale au milieu. Fais correspondre cette ligne avec la ligne centrale de la colonne de direction. Place chaque équerre et marque les emplacements à percer, des deux côtés, pour relier la colonne de direction et le guidon, soit quatre trous.

* Le plateau : trace deux lignes, à 3 cm de chaque bord. Le long de chaque ligne, prévois de percer à 7,5 cm, 33 cm et 53 cm en partant de l'avant.

Découpe du bois

Avec la scie, coupe dans le tasseau de 2,60 m 4 morceaux : deux de 75 cm, un de 80 cm, un de 30 cm.

Marquage des trous à percer

Trace les lignes avec précision, comme sur le plan. Elles te serviront de repères pour déterminer l'emplacement des trous à percer. Pour les 4 morceaux coupés dans le tasseau de 40 x 40 mm, la ligne doit se trouver à 2 cm de chaque bord, sur chacune des faces.

* Pour les deux longerons de 75 cm, les trous devront se situer :
- Sur le dessus : à 15 cm, 40 cm et 60 cm en partant de la gauche ;
- Sur le côté : à 1 cm et à 5 cm en partant de la gauche et à 5 cm en partant de la droite.

* La colonne de direction de 80 cm, qui viendra se loger sous le guidon, sera maintenue par un boulon de carrosserie de 20 cm.
- Sur le devant : fais tes marques à 13 cm et à 26 cm en partant du bas.
- Sur le côté : prévois un trou à 3 cm en partant du bas. En haut, aligne l'équerre de 5 cm contre le bois et prends la marque de ses trous.

* Le collier :
Devant : fais une marque à 5 cm, puis à 17 cm, en partant du bas. Les boulons à œil s'aligneront sur ceux de la colonne de direction, et le boulon de carrosserie de 20 cm se logera dedans.
Côté : trace une ligne horizontale à 2,5 cm en partant du bas. Sur cette ligne, fais une marque à 1 cm de chaque bord. C'est l'emplacement des gros boulons qui relieront le collier aux longerons.

PLAN POUR ASSEMBLER LA TROTTINETTE

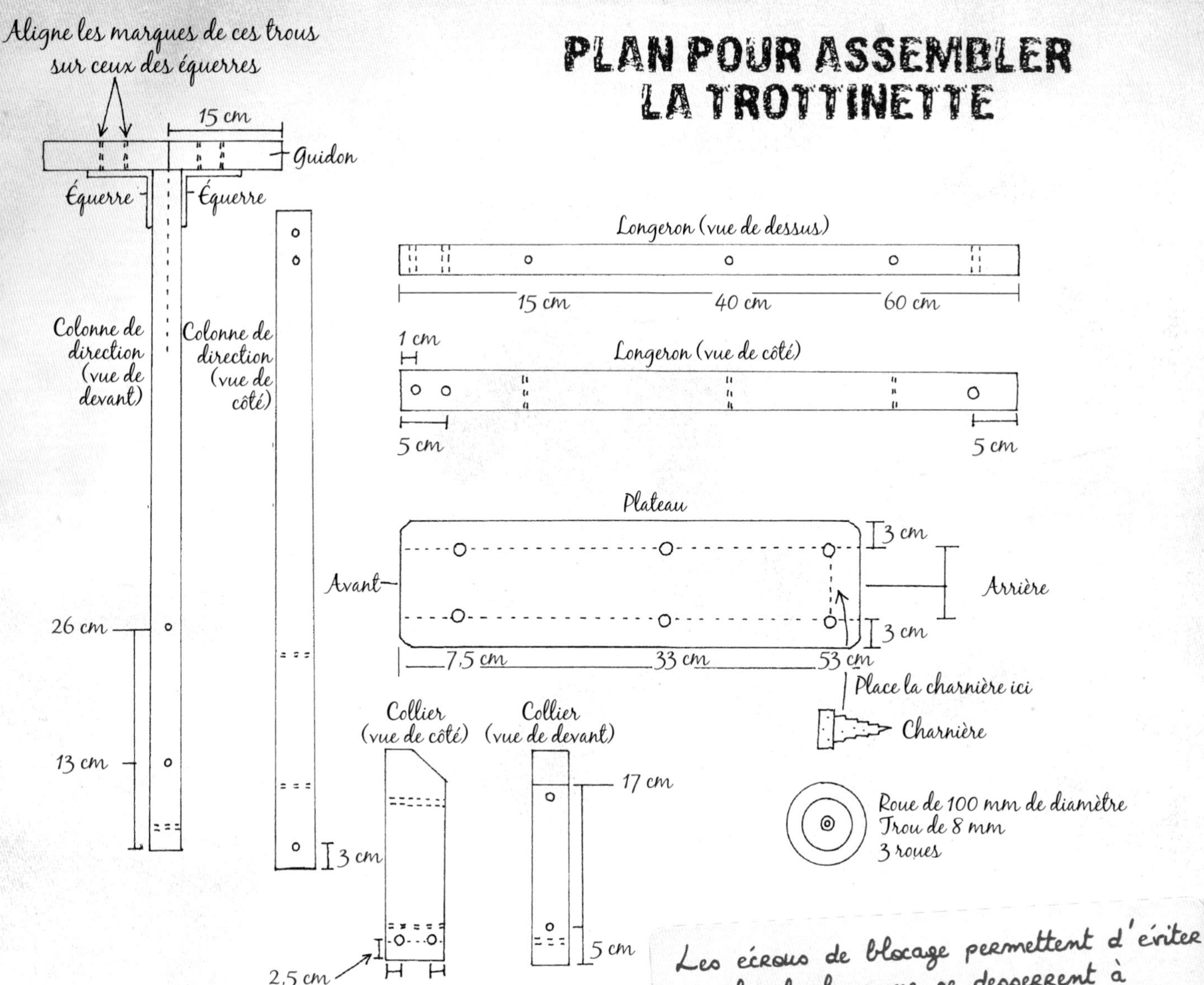

Les écrous de blocage permettent d'éviter que les boulons ne se desserrent à l'usage. Comme ils ne peuvent servir qu'une fois, utilise d'abord des écrous ordinaires, que tu remplaceras par des écrous de blocage lorsque tout sera bien en place.

Perçage

Demande l'aide d'un adulte pour manier la perceuse.
Il faut une mèche de 6 mm pour tous les trous, sauf pour les deux situés à 1 cm et à 5 cm du bord des longerons, ainsi que pour ceux du bas du collier. Pour ceux-là, il faut une mèche de 12 mm. Commence le trou avec une mèche de 6 mm, puis élargis-le progressivement à 12 mm.

Assemblage

Fixe les deux équerres à la colonne de direction avec les deux boulons hexagonaux de 6 mm x 4,5 cm, puis le guidon sur le dessus des équerres, avec les quatre boulons de carrosserie de 6 mm x 4,5 cm. Fixe le plateau sur les deux longerons, avec les six boulons de carrosserie de 6 mm x 6 cm.
Fixe les longerons au collier avec deux boulons de carrosserie de 12 mm x 15 cm, avec une rondelle et un écrou pour chacun. Fixe les deux boulons à œil de 8 cm à la colonne de direction, les yeux tournés vers le corps de la trottinette, puis les boulons à œil de 10 cm à l'avant du collier. Aligne les deux paires de boulons à œil et insère le boulon de carrosserie de 12 mm x 20 cm dans les quatre yeux. Serre ensuite ses deux écrous ensemble.

LES ROUES

L'essieu avant vient se loger dans le trou percé à la base de la colonne de direction. Prends l'un des boulons hexagonaux de 6 mm x 13 cm. Place une rondelle de chaque côté de chaque roue et insère l'essieu dans l'une des roues, puis dans la colonne de direction et enfin dans l'autre roue. Vérifie que tout tourne bien avant d'ajouter un écrou de blocage. La roue arrière s'insère entre les longerons, avec l'autre boulon hexagonal de 6 mm x 13 cm, sans oublier les rondelles de chaque côté de la roue afin qu'elle puisse tourner sans frotter contre le bois. Bloque ensuite l'essieu avec un écrou de blocage.

Peindre à l'aquarelle

L'une des manières les plus agréables de peindre à l'aquarelle est de s'installer en plein air par beau temps. Avec une belle lumière et la nature pour tout décor, le peintre débutant peut s'exercer dans les meilleures conditions. En outre, le paysage se révèle toujours beaucoup plus indulgent que la famille ou que l'amie dont tu tentes de réaliser le portrait : même si tu ne parviens pas à reproduire parfaitement la courbe d'une colline ou la teinte d'une fleur, ton tableau évoquera toujours une scène d'extérieur.

Pour peindre à l'aquarelle, il te faut :

• Des pinceaux
Prévois un assortiment de pinceaux – ronds et plats – pour aquarelle. Choisis différentes tailles (2, 4, 8, 10, 12). Les matières synthétiques constituent une solution plus économique et plus durable que le poil de martre.

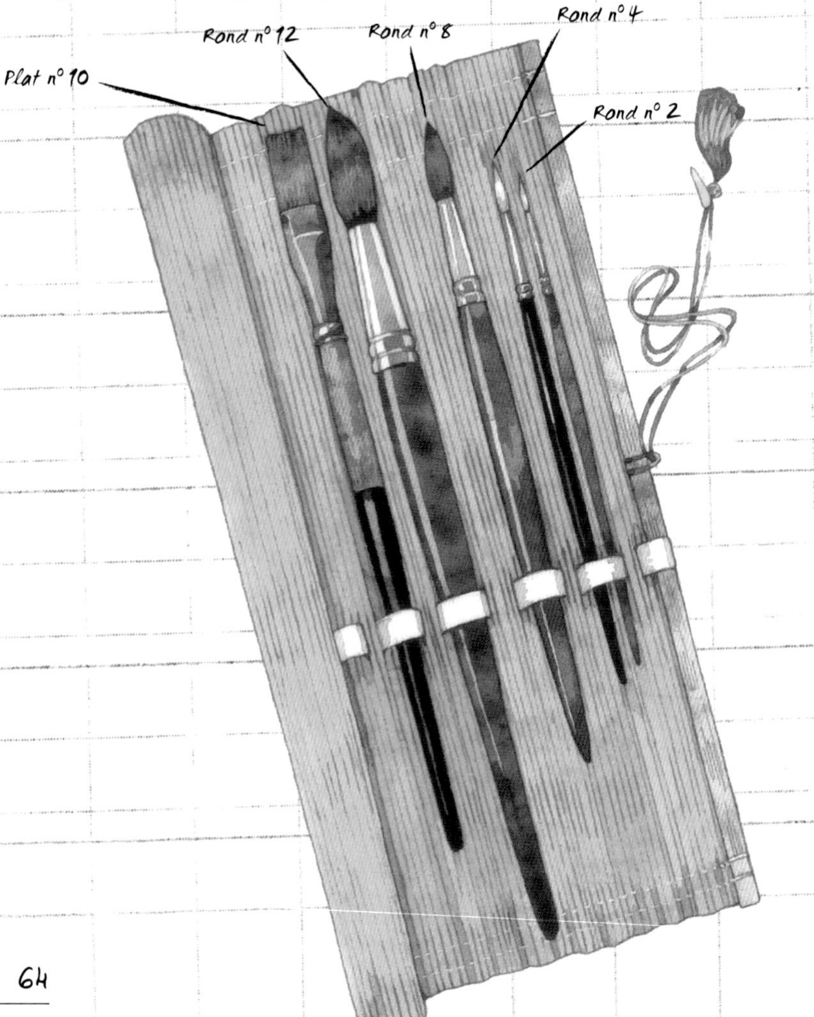

• Un porte-pinceau
Un petit tapis en bambou qu'on peut rouler et fermer à l'aide d'un ruban ou d'un cordon, par exemple. Il suffit de glisser un morceau d'élastique entre les tiges, et tu peux y ranger les pinceaux. Ensuite, tu roules le tapis et tu noues le cordon.

• Des récipients pour l'eau
Deux récipients à eau pliables (ils ressemblent à des lanternes chinoises) ou tout simplement des gobelets en plastique – l'un pour l'eau propre, l'autre pour l'eau sale.

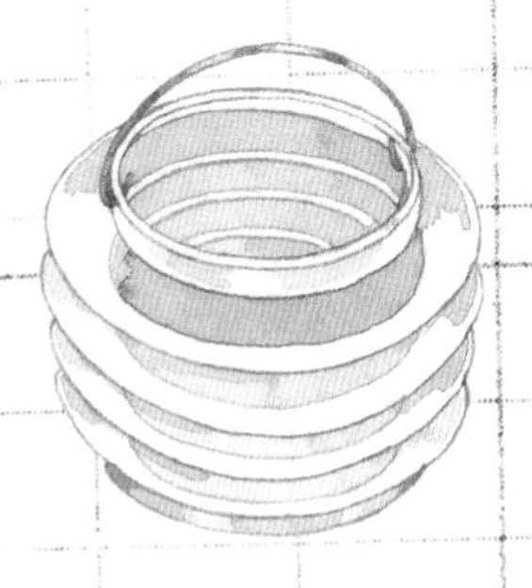
Récipient à eau en plastique de style lanterne chinoise.

• De l'eau en bouteille
Si tu t'installes à quelque distance d'un point d'eau, pense à emporter une bouteille d'eau.

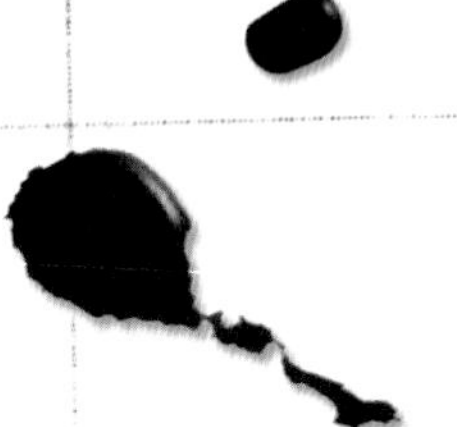

Il te faut également :

- **Du papier pour aquarelle**, des feuilles ou un bloc, de 24 x 32 cm.

- **Une palette de voyage**
Les zones de mélange doivent être d'une largeur suffisante, et les couleurs diversifiées : rouge, orange, jaune, vert, bleu, violet, ocre, sienne…

- **Un crayon de papier et une gomme.**

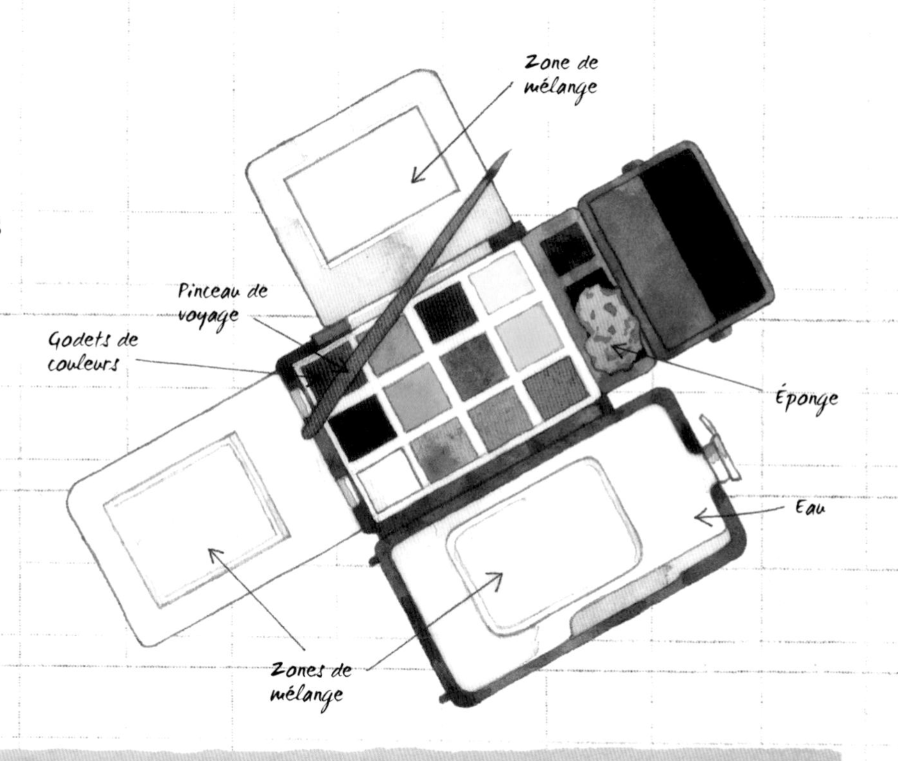

Petites astuces

Ne laisse jamais ton pinceau à aquarelle tremper dans l'eau car cela l'abîme ! Pose-le plutôt sur le tapis en bambou. Et laisse-le sécher à l'air libre.

Nettoie toujours ton pinceau avant d'utiliser une nouvelle couleur, surtout si tu passes d'une teinte foncée à une couleur plus claire.

Si tu préfères peindre sur une feuille volante plutôt que sur un bloc, fixe la feuille sur une planche à l'aide de ruban adhésif de masquage. Ainsi, l'air ne passera pas sous la feuille, ce qui évitera que le papier ne se déforme.

Quelques conseils pour débuter :

- **Ne surcharge pas ta peinture !**
Attends que la zone peinte soit complètement sèche avant d'ajouter de l'eau ou du pigment. Si tu mets trop d'eau, les fibres du papier risquent de se décomposer et ton œuvre aura un petit air délavé... pas forcément du meilleur effet. Comme dans bien d'autres domaines, le mieux est souvent l'ennemi du bien !
Avec un peu d'expérience, tu sauras qu'avec moins d'eau, tu obtiens une couleur plus dense et plus sombre et qu'avec plus d'eau, la couleur sera plus transparente et légère. C'est tout l'art de l'aquarelle !

- **D'un coup de crayon léger, trace les grandes lignes du paysage que tu souhaites reproduire.**
Lorsque la peinture aura complètement séché, tu pourras si tu le souhaites, effacer ces traits avec une gomme. Les lignes très appuyées, plus noires, seront plus difficiles à faire disparaître.

Partir en randonnée

Pour respirer au grand air, grimper sur des rochers, traîner les pieds dans les feuilles mortes ou sauter au-dessus des cours d'eau, sache qu'il existe en France autour de 60 000 kilomètres de sentiers de grande randonnée (GR) ! Parmi les plus célèbres figurent le GR20, qui traverse la Corse du nord au sud et le GR10, qui va de la Méditerranée à l'Atlantique en passant par les Pyrénées. Tu peux aussi effectuer des boucles ou des itinéraires moins longs sur les sentiers de promenade et de petite randonnée. Il y a de formidables découvertes à faire, y compris le long des petits sentiers qui se trouvent à deux pas de chez toi. Tout ce dont tu as besoin, c'est une paire de baskets, de l'eau en quantité suffisante, une carte, une boussole et le sens de l'aventure !

1. Savoir se repérer

Les sentiers sont balisés à l'aide de marques de peinture apposées sur les arbres, les rochers ou les poteaux tout au long du parcours. Il est conseillé de se munir d'un guide et d'une bonne carte sur laquelle figurent les courbes de niveau – les mystérieuses lignes tortueuses qui indiquent le relief. Une ligne continue correspond à un ensemble de points qui se trouvent tous à la même altitude. Les lignes rapprochées les unes des autres indiquent une élévation abrupte de terrain. Les lignes écartées signalent une pente plus légère.

Si le sentier suit une seule courbe, la randonnée ne présente pas de dénivelé et tu marcheras en terrain relativement plat. Se perdre et retrouver son chemin fait partie du jeu, quoi qu'il en soit une boussole te permettra de retrouver le sentier le cas échéant.

2. Suivre les chemins de randonnée

On raconte que, jadis, on donnait des pelles et des machettes aux enfants pour qu'ils travaillent à dégager leurs propres sentiers. Nous ne saurions te conseiller de faire de même et ce pour deux raisons. D'abord, la nature est aujourd'hui souvent protégée, et les randonneurs doivent rester sur les sentiers existants afin de préserver la faune et la flore.

Ensuite, hors des sentiers battus, il faut prendre garde aux piqûres d'insectes, aux morsures de serpents et aux piqûres d'orties. Les orties sont recouvertes de poils urticants. Ces poils, en forme d'ampoule, que l'on nomme également « dard », se terminent par un petit renflement. Au moindre contact, celui-ci se casse et libère une substance urticante. La nature est bien faite, car on trouve souvent du plantain à proximité des orties, qui peut soulager les piqûres d'orties. Froisse quelques feuilles de plantain et applique-les là où tu as été piquée. Sache que le plantain peut également être efficace contre les piqûres de guêpe et d'abeille.

3. Apprendre à observer

C'est le moment d'observer les différentes espèces d'arbres, leurs feuilles, leur écorce et leurs fruits. Tu peux aussi découvrir les petites bêtes qui vivent sous les rochers ou au fond des ruisseaux. Il est en outre amusant de chercher à identifier les animaux qui sont passés sur le même sentier que toi en essayant de reconnaître leurs traces !

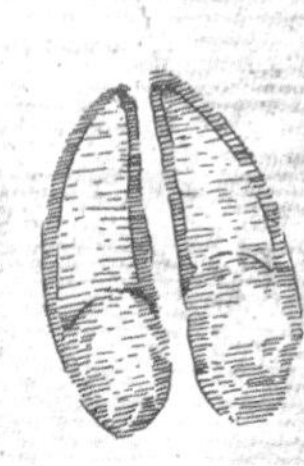

écorces…).

Tu peux aussi le porter à la ceinture, ou en

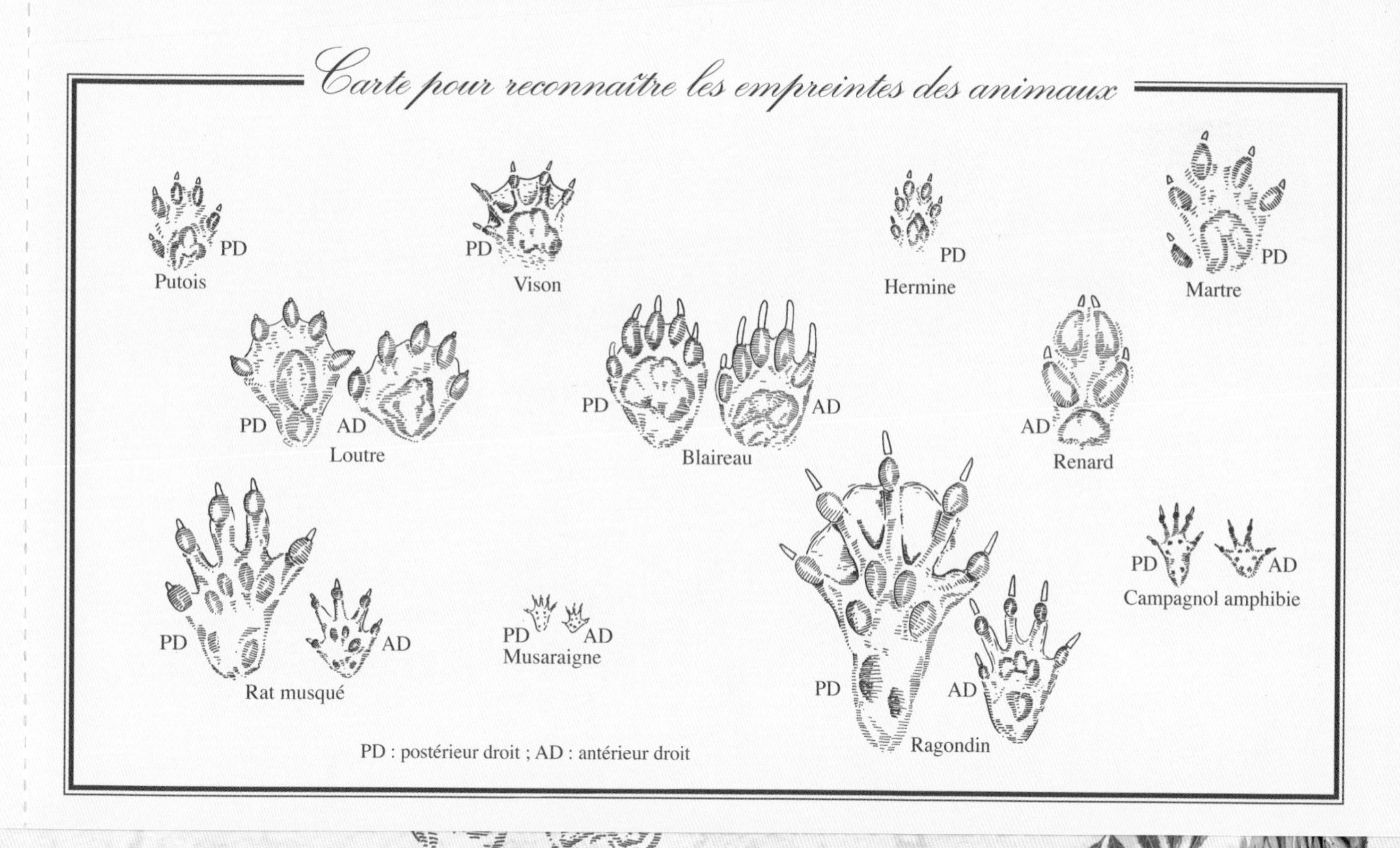

Construire une cabane

Quelle fille ne rêve pas d'avoir sa propre cabane ou forteresse imprenable ? Voici quelques idées pour construire la tienne. Il te faudra peut-être travailler plusieurs week-ends de suite sur des plans compliqués si tu veux une cabane digne de ce nom, faite de vrais rondins, de vrais clous et d'un vrai toit. Rassure-toi, il existe des moyens de s'éviter tant de mal.

Vite fait, bien fait

Avec quatre ou cinq piquets de jardin métalliques de 1,80 m, tu peux construire une cabane en moins de temps qu'il n'en faut pour le dire. Recouvre la structure de grillage ou de tissu. Tu peux coudre ensemble des tissus de couleurs et de motifs différents, comme pour faire des patchworks. Ensuite, avec de la ficelle, de la corde, du ruban adhésif solide, du fil et une aiguille, des ciseaux, des bâtons, du carton, du contreplaqué ou toute autre chute de bois, tu pourras construire des murs, percer des fenêtres, créer des plafonds et des sols, bref faire ton nid comme tu l'entends. À toi de jouer !

Un simple abri

L'abri est une construction vraiment sommaire conçue pour te protéger de la pluie ou du vent. Il s'appuie contre un mur existant. Trouve l'endroit idéal, puis improvise un toit à l'aide d'une bâche tendue par des cordes. Noue ces cordes à des arbres et place une paroi de contreplaqué contre le mur qui jouxte ton abri. Pour le devant, entasse des branches, de vieux morceaux de palissade abandonnés ou encore une table de pique-nique basculée sur le côté.

À l'intérieur

La formule classique, ce sont des coussins, des couvertures et le dos du canapé ou des fauteuils. C'est un bon début, de même que des couvertures dépliées sur la table de la salle à manger (en les maintenant grâce à des piles de livres). Toutefois, on peut améliorer cet ordinaire et faire un mur suspendu : visse une série de crochets ou de boulons à œil au plafond. Puis, fais passer dedans du câble métallique ou du fil à linge afin d'y fixer des trombones ou des épingles à linge. Enfin, suspends des draps ou les grands morceaux de tissus que tu as cousus... et pourquoi pas des guirlandes lumineuses, pour plus d'originalité.

Fabriquer une lampe de poche

Démonte une lampe de poche et tu verras que ce n'est qu'un boîtier à piles, muni d'un interrupteur sur le côté. Essaie donc d'en confectionner une, après un petit détour dans un magasin de bricolage.

Il te faut :

- De grosses piles rondes
- Du fil de cuivre (ou de longues bandes de papier aluminium)
- Du Scotch électrique
- Une ampoule de lampe électrique
- Un pot ou un bocal en verre vide
- Éventuellement du Scotch, du papier aluminium, du papier, une paire de ciseaux ou un cutter

Explications

Prends une grosse pile ronde et une longueur de fil de cuivre d'environ 25 cm. Branche une extrémité du fil à la pile en la fixant solidement à l'aide du Scotch électrique. Enroule l'autre extrémité autour de la base en métal d'une petite ampoule de lampe électrique, en serrant bien. Place l'ampoule de telle sorte qu'elle touche le haut de la pile. Elle doit normalement s'allumer.

Le circuit que tu as créé fonctionne parce que l'énergie circule entre la pile, le fil, l'ampoule et de nouveau la pile. Si l'ampoule ne s'allume pas, fixe une nouvelle fois les fils et refais les branchements jusqu'à ce qu'elle marche.

Une fois l'ampoule allumée, enroule le fil autour de la pile de sorte que l'ampoule se trouve au sommet. Ta lampe est à présent constituée. Si l'ensemble ne tient pas en équilibre, trouve un support. Si tu as un pot en verre vide sous la main, place-le à l'envers sur la lampe : te voilà munie d'une lanterne, qui peut fonctionner à l'intérieur comme à l'extérieur.

Sans doute as-tu remarqué que l'ampoule n'éclaire pas très fort. Ajoute une seconde pile à la première. Utilise autant de Scotch électrique que nécessaire pour fixer les deux piles ensemble. Place l'ampoule sur la pile du haut et constate la différence. L'ampoule chauffe un peu ; ne la touche pas si tu ne veux pas te brûler.
Pour obtenir une torche électrique, confectionne un support – avec un carton découpé et scotché ou davantage de fil électrique enroulé autour des deux piles (joue sur ses couleurs vives pour le côté décoratif). Pour l'interrupteur, le plus simple est encore de tirer sur le fil pour éteindre l'ampoule en l'éloignant de la pile. Mais tu peux aussi couper le fil en deux. Pour allumer, branche les fils et maintiens-les ensemble avec un peu de Scotch électrique. Pour les détacher, il te suffira de retirer le Scotch, cela interrompra le circuit électrique et la lumière s'éteindra.

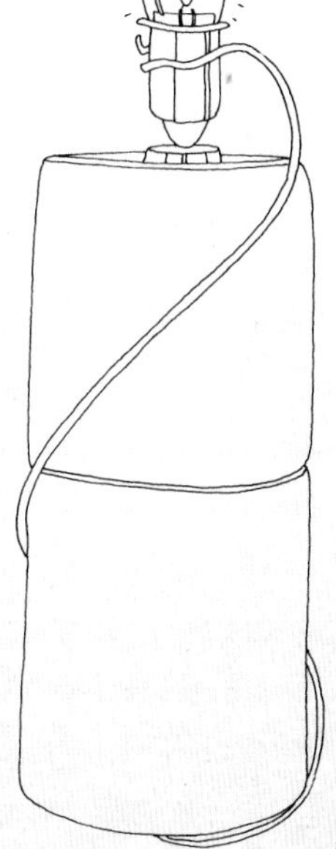

Fabriquer un presse-fleurs

Grâce à la technique de la presse, tu vas pouvoir faire sécher tes fleurs préférées. Tu pourras ensuite en orner tes cartes ou marque-pages, et disposer de charmants petits cadeaux à offrir. Cette activité demande de la délicatesse et quelques outils.

Pour fabriquer un presse-fleurs, il te faut :

- Deux plaques de bois de 15 cm de côté et de 1 à 2 cm d'épaisseur.
- Quatre vis de 6 à 8 cm de long.
- Quatre écrous à ailettes, ou papillons, de diamètre correspondant.
- Du carton, découpé en carrés de 15 cm de côté. Il sera réutilisable.
- Du papier. Puisque les ciseaux sont sortis, profites-en pour découper plusieurs carrés, aux mêmes dimensions que le carton. On peut aussi se servir de papier buvard.
- Une perceuse (demande toujours l'aide d'un adulte).

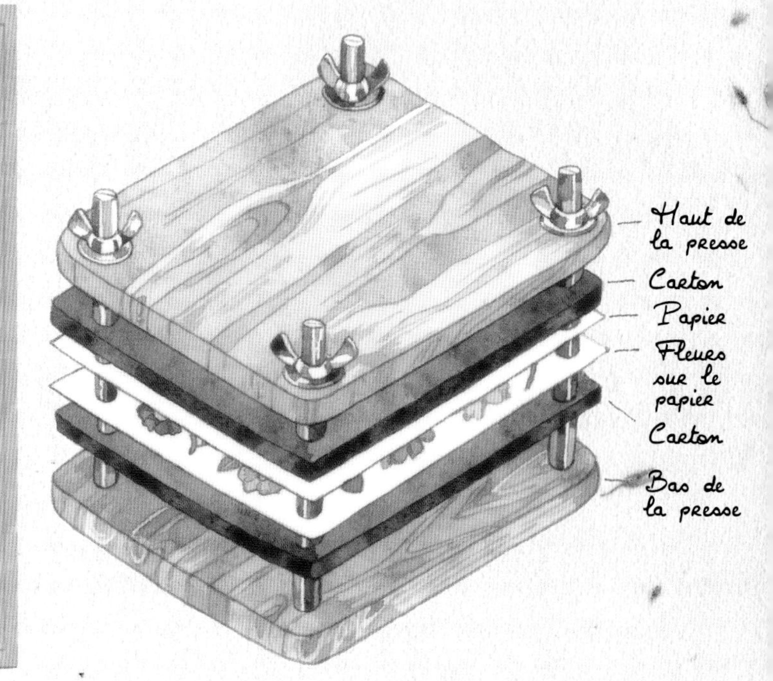

- Entre les deux plaques de bois, place le papier et le carton comme sur l'illustration. Ensuite, demande à un adulte de percer un trou à chaque coin – d'un diamètre suffisant pour accueillir les vis – à 2 cm du bord. En perçant à la fois le bois, le carton et le papier, tous les trous seront parfaitement alignés ; cette petite astuce se révélera bien pratique pour tes projets futurs.

- Pour mettre les fleurs sous presse, procède dans l'ordre suivant : fond de presse, carton, papier, fleur, papier, carton. Ensuite, place la plaque supérieure de la presse au sommet de la pile, serre les écrous et range la presse dans un coin. Il faut maintenant patienter trois à quatre semaines pour que les fleurs deviennent sèches et rigides au toucher.

Ne négligeons pas pour autant l'existence de méthodes parallèles. L'une d'elles, dont nous ne saurions nier l'efficacité, consiste à placer les fleurs sous une lourde pile de livres. Dans le même ordre d'idées, tu peux les glisser au hasard entre deux ouvrages de ta bibliothèque et les oublier pendant un an. La technique du micro-ondes conviendra plus particulièrement aux filles qui ont besoin d'un séchage rapide (mais sans pressage) ; trois minutes sur position « doux » suffiront.

Planches d'identification et herbier

FAIRE UN FEU DE CAMP

Rien de tel qu'un feu de camp pour se retrouver entre amies, profiter de la nuit en pleine nature, observer les étoiles, chanter ou se raconter des histoires de fantômes.

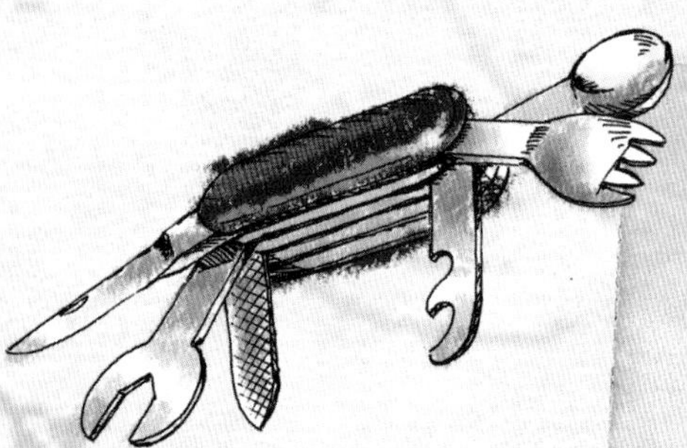

POUR TON FEU DE CAMP, IL TE FAUT :

- Un brasero ou un barbecue portatif en guise de foyer
- De l'eau ou du sable pour éteindre le feu
- Du petit bois
- Des bûches (du bois sec et épais)
- Des allumettes ou un briquet

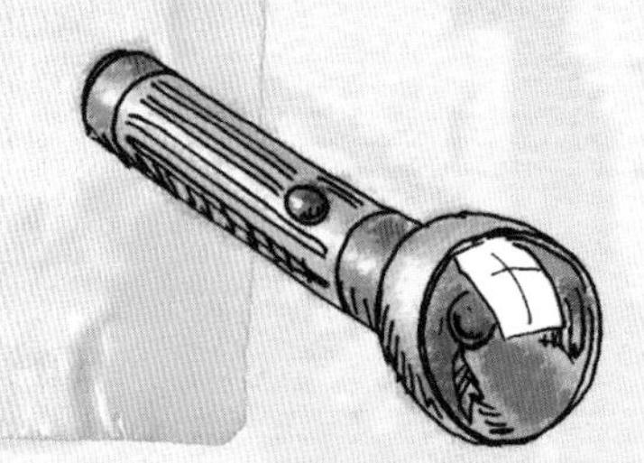

ALLUMER LE FEU

• Première chose quand on prépare un feu : choisir un bon emplacement. Trouve un endroit à l'écart des tentes, des arbres ou de tout autre élément inflammable. L'idéal est d'utiliser un foyer déjà existant. Si cela n'est pas possible, il faut créer ton foyer. Une première méthode consiste à déblayer un espace au sol pour y pratiquer un léger creux qu'on borde ensuite de gros cailloux ; ensuite, recouvre cette zone de 1 cm de sable ou de papier aluminium. Tu peux aussi te servir d'un brasero ou de n'importe quelle surface ronde en métal, comme un plat à pizza ou le couvercle d'une poubelle en métal.

• Une fois le foyer constitué, dispose au milieu les brindilles que tu as ramassées en un petit tas. Autour, place le bois plus épais en prenant soin de ne pas trop le tasser. Arrange le gros bois de sorte à former un « tipi », comme si tu voulais monter une petite tente. Laisse une ouverture pour pouvoir enflammer le petit bois et gardes-en un peu en réserve, afin de pouvoir en ajouter lorsque le feu aura pris.

• À l'aide d'une allumette ou d'un briquet, enflamme le petit bois et souffle doucement dessus jusqu'à ce que les flammes grossissent et que le bois placé autour s'enflamme. Une fois que le feu a pris, tu peux ajouter les bûches. Ajoute au fur et à mesure un peu de bois moyen pour maintenir le feu. Dispose le bois délicatement, ne le jette pas sur le feu.

• Lorsque le feu se meurt et qu'il est temps de l'éteindre, verse de l'eau pour étouffer complètement les flammes. Tu peux aussi utiliser du sable. Tu dois t'assurer qu'il ne peut pas repartir ! Pour cela, vérifie bien qu'il ne reste pas la moindre trace de charbon ardent ou de fumée, même si le feu te semble mort. Ne quitte pas les lieux sans que tout – le foyer, le bois brûlé, la zone autour du feu – soit froid au toucher.

QUEL COMBUSTIBLE UTILISER ?

Pour que le feu « prenne », il faut un combustible, une source de chaleur et de l'air. Le combustible le plus courant est le bois - essentiellement des bûches, mais aussi du petit bois (branches et brindilles) et du papier pour servir de mèche. La source de chaleur (flammes ou étincelles produites par les allumettes, un briquet, voire un rayon de soleil focalisé) est fournie par le petit bois qui enflamme les plus grosses bûches. Naturellement, le feu a aussi besoin d'oxygène, c'est pourquoi il faut veiller à ne pas trop tasser le petit bois, afin de permettre à l'air de circuler.

CONSEILS ET PRÉCAUTIONS

1. Vérifie auprès de la caserne de pompiers ou des gardes forestiers que les feux de camp sont autorisés. Il est souvent nécessaire d'obtenir une autorisation pour faire du feu à l'extérieur - même dans son jardin.

2. N'utilise jamais de liquides inflammables ou d'aérosols à proximité d'un feu.

3. Installe ton feu de camp à bonne distance des tentes, arbres ou branches basses afin qu'aucune étincelle ne risque de déclencher un feu à l'extérieur du foyer.

4. Nettoie le foyer avant de faire du feu mais aussi une fois qu'il est éteint. Ne quitte jamais les lieux sans avoir tout rangé et sans avoir vérifié que rien ne pourrait alimenter un nouveau départ de feu.

5. Ne fais jamais de feu dans l'herbe ou dans une tourbière.

6. Le vent propage le feu rapidement, veille donc à installer ton feu à l'abri des courants d'air.

QUE FAIRE AUTOUR DU FEU ?

Lorsque le feu a bien pris, c'est le moment de pique-niquer ! Outre les incontournables - saucisson, fromage, tomates, cake aux olives, chips, chocolat, biscuits et fruits en tout genre, n'oublie pas de profiter du feu pour faire des grillades !

Tu peux faire cuire aussi bien des saucisses... que de la guimauve, que tu embroches sur de longues brindilles.

Une fois rassasiées, la nuit venue, quoi de plus amusant que de chanter ou de se raconter des histoires effrayantes ?

Reporte-toi aux pages consacrées aux histoires de fantômes. À la lueur des flammes, effet terrifiant garanti !

LA CHIMIE AU QUOTIDIEN
ou utiliser des réactions chimiques

Il te suffit de faire un petit tour à l'épicerie (ou dans le placard de la cuisine) pour effectuer des réactions acido-basiques ! Ce type de réaction chimique – qui peut devenir très complexe – est connu et étudié depuis fort longtemps. Avec deux ingrédients, du vinaigre et du bicarbonate de soude, tu peux faire bien des expériences.

Le b.a.-ba de la Réaction acido-basique

L'acide est corrosif, il a le pouvoir de dissoudre certaines matières en libérant des bulles d'hydrogène. Le vinaigre est un acide. Sur l'échelle de pH, qui mesure le « potentiel d'hydrogène » de 1 à 7, il se situe à 3 ou 4. La base neutralise l'acide. Le bicarbonate de soude agit comme une base. Le couple acide-base que forment le vinaigre et le bicarbonate de soude va nous permettre d'accomplir toutes sortes de menues tâches mais aussi de réaliser des projets plus importants.

Utilisation du vinaigre au quotidien

Le vinaigre est corrosif, il possède une odeur répulsive et il annule l'action des bases. On peut s'en servir pour :

* Soigner les irritations de la peau. Certaines démangeaisons, comme celles provoquées par les piqûres d'ortie, de moustique ou de méduse, ou encore les coups de soleil, ont des propriétés basiques, c'est pourquoi le vinaigre les soulage. Mélange du vinaigre à de l'eau et vaporise directement le mélange sur la peau. Tu peux aussi imbiber de petites serviettes pour faire des compresses.

* Se débarrasser de la rouille. Laisse tremper les taches de rouille dans un bol de vinaigre pendant toute une nuit. Tu peux aussi faire briller des pièces de monnaie de cette manière.

Autres utilisations du vinaigre au quotidien

*Retirer les traces de colle. Pour nettoyer les traces tenaces d'étiquettes ou d'autocollants, trempe un chiffon dans le vinaigre puis maintiens-le sur la zone à nettoyer.

*Éloigner les moustiques et les fourmis. Applique le vinaigre sur ta peau à l'aide d'un morceau de coton comme un produit antimoustiques. Déposes-en une tasse dans la cuisine pour inciter les fourmis à établir leur camp ailleurs.

*Contre les mauvaises odeurs. Laisse reposer pendant une nuit ce qui sent mauvais dans un mélange moitié eau, moitié vinaigre. Si un incident malodorant se produit en voiture, places-y un bol de vinaigre pendant la nuit pour absorber l'odeur.

Utilisation du bicarbonate de soude au quotidien

Le bicarbonate de soude neutralise l'acidité et peut servir d'abrasif. Tu peux t'en servir pour :

*Soulager les piqûres d'abeille. Applique une pâte faite de bicarbonate de soude et d'eau sur la piqûre pour neutraliser son effet acide. En cas de piqûre de guêpe (dont le venin est basique), utilise plutôt un peu de vinaigre sur un morceau de coton.

*Nettoyer les taches. Si tu taches tes mains avec du colorant alimentaire, frotte-les avec du bicarbonate de soude et de l'eau. En revanche, si ce sont tes vêtements qui sont tachés, fais-les tremper dans du vinaigre.

*Atténuer les odeurs animales. Si tu croises un putois, mélange de l'eau oxygénée (en vente en pharmacie) avec du bicarbonate de soude et un peu de liquide vaisselle – ça marche à merveille. De même, si ton chien sent mauvais, asperge-le de bicarbonate de soude, frotte pour faire pénétrer le produit, puis brosse-le.

*Se laver les dents. Mélange le bicarbonate de soude avec de l'eau jusqu'à obtenir une pâte épaisse (sans les ingrédients superflus que contient le dentifrice).

*Éteindre un incendie. Lorsqu'on le chauffe, le bicarbonate de soude émet du gaz carbonique, ce qui permet d'éteindre les petites flammes. Quoi qu'il en soit, si tu vois un feu, appelle immédiatement un adulte et compose le 18 !

Laver la voiture

Au lieu d'acheter d'onéreux produits nettoyants, néfastes pour l'environnement, tu peux utiliser nos deux produits miracle. Avant tout, vaporise du bicarbonate de soude à l'intérieur de la voiture, pour neutraliser les mauvaises odeurs. Pour la carrosserie, verse environ 50 ml de vinaigre pour 1 l d'eau dans un seau et frotte avec une grosse éponge. Pour les vitres, les rétroviseurs et l'intérieur, mélange 500 ml d'eau et 150 ml de vinaigre dans un vaporisateur. Au lieu de chiffons, sers-toi de journaux pour laver et pour faire briller les vitres.

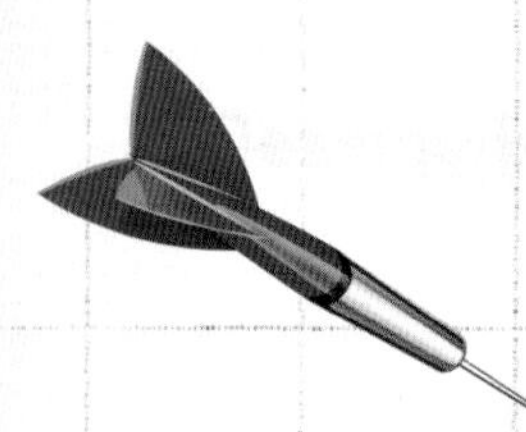

JOUER AUX FLÉCHETTES

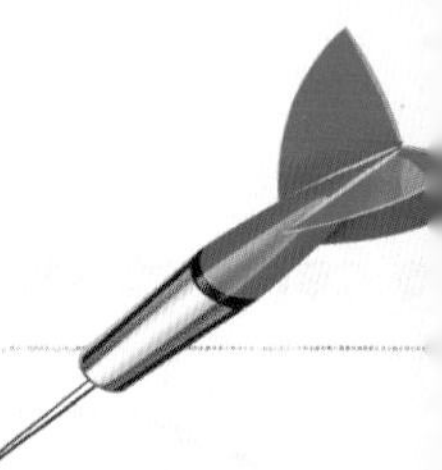

On pense que le jeu de fléchettes a été inventé par des archers anglais qui, par désoeuvrement, se sont amusés à tirer leurs flèches sur le tronc des arbres ou des fûts de chêne. Les cibles modernes sont plus souvent en soies de sanglier, en fibres de sisal compressées (dites « crin »), ou en feutrine. Le jeu de fléchettes exige un peu de pratique et aussi une bonne maîtrise du calcul mental ! S'il est toujours amusant de lancer des projectiles, évite tout de même de te laisser aller à prendre pour cible tes trublions de frères et sœurs ou leurs petits animaux de compagnie.

Installer la cible

La cible réglementaire, qui présente un diamètre de 34 cm, est divisée en 20 secteurs par de fins fils métalliques qui forment une « toile d'araignée ». Installe-la de façon que le centre (la « rose ») se trouve à 1,70 m du sol. Trace la ligne derrière laquelle on doit se tenir pour effectuer un lancer. Elle doit se situer à un peu plus de 2 m en face de la cible.

Les règles de base

Pour déterminer l'ordre de tir, chaque joueuse effectue un tir. La plus proche de la rose commence. À chaque tour, on dispose de trois fléchettes, que l'on doit lancer de derrière la ligne (appelée « oche »). Pour que le lancer soit pris en compte, la pointe de la fléchette doit toucher la cible. Si la fléchette rebondit ou rate complètement la cible, la joueuse ne marque pas de point (elle ne peut pas relancer).

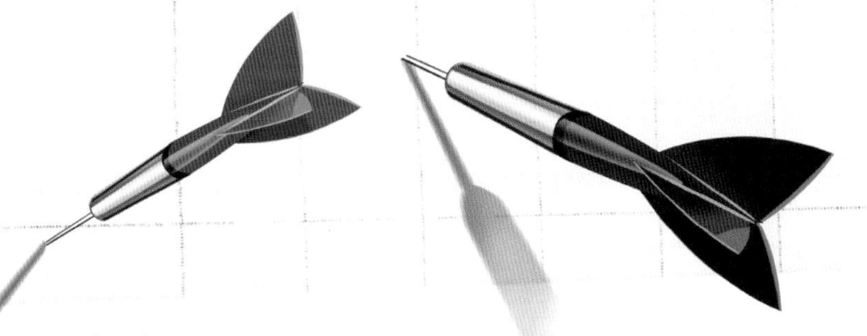

Le calcul des points

La cible est divisée en secteurs auxquels correspond le nombre de points qui est indiqué sur le bord externe du cercle. Deux couronnes traversent la surface de jeu (à 10 cm et à 16,7 du centre) ; la fléchette qui atterrit à l'extérieur de ces couronnes rapporte à la joueuse la valeur des points correspondant à cette zone de la cible. La fléchette qui atterrit entre les deux couronnes permet à la joueuse de doubler les points qui correspondent à cette zone. La fléchette qui atterrit entre la couronne la plus proche du centre et la rose triple ses points. Les fléchettes qui se fichent à l'extérieur du fil le plus éloigné du centre ne marquent rien.

Le jargon des fléchettes

Casser : faire plus de points que nécessaire. Dans ce cas, on reste au score précédent.

Être brûlé : dépasser le score à atteindre.

Ferraille : se dit des fils metalliques qui delimitent les secteurs.

Ferrailler : planter sa flèche juste à côté de l'endroit visé.

Mille : partie centrale de la cible.

Oche : ligne matérialisée à terre par une barre derrière laquelle le joueur vient se positionner avant de lancer.

Pneu : partie de la cible, valant zéro point, située au bord de la cible.

Refus : fléchette qui rebondit sur la cible.

Rose : centre de la cible.

Le lancer

D'abord, il faut viser. Regarde l'endroit de la cible que tu veux atteindre. Lève le bras, plie le coude de sorte à pointer la fléchette en direction de la cible. Tiens la fléchette légèrement inclinée vers le haut. Vérifie ta visée et aligne la fléchette sur ta ligne de mire. Replie le bras, puis lance la fléchette. Après ce lancer parfait, ta main reste pointée vers la cible (et non retombée le long du corps). Pendant le lancer, essaie de garder le corps immobile – le geste doit venir de l'épaule.

Jouer au 301

Dans ce jeu, auquel on joue le plus souvent à deux, chaque joueuse a au départ 301 points. Le but est de parvenir au score de zéro, très précisément. Pour cela, on effectue trois lancers par tour, et les points obtenus sont soustraits de 301. Progressivement, on se rapproche de zéro, mais, en fin de partie, si les points correspondant aux trois lancers dépassent le score restant de la joueuse, elle conserve son précédent score, jusqu'à ce qu'elle parvienne à zéro exactement. De plus, au tout début de la partie (avant de pouvoir commencer à soustraire) et pour clore la partie (une fois que le score de zéro est atteint), les joueuses doivent faire un « double» c'est-à-dire tirer dans la couronne des doubles de la cible. C'est la couronne la plus proche du centre (la couronne la plus éloignée du centre est appelée couronne des triples).

Jouer à l'horloge

Dans ce jeu, chaque joueuse tente de marquer successivement dans chacun des secteurs de 1 à 20. Chacune a droit à trois lancers par tour ; il faut avancer dans l'ordre des numéros. La première arrivée à 20 l'emporte.

Pêcher au filet

Pour recueillir toutes sortes de créatures marines afin de les étudier, il te faut :

- Du filet de pêche, de 1,20 m de long pour 4,50 m de large et avec des mailles de 30 mm. Il est préférable d'en prendre un qui soit équipé de flotteurs en haut et de lests métalliques en bas. Tu en trouveras dans un magasin spécialisé dans le matériel de pêche.
- Deux piquets ou morceaux de bois de 1,20 m de hauteur pour maintenir le filet en place et l'enrouler quand la pêche est finie.
- Un grand seau pour y déposer tes prises et ranger le filet.

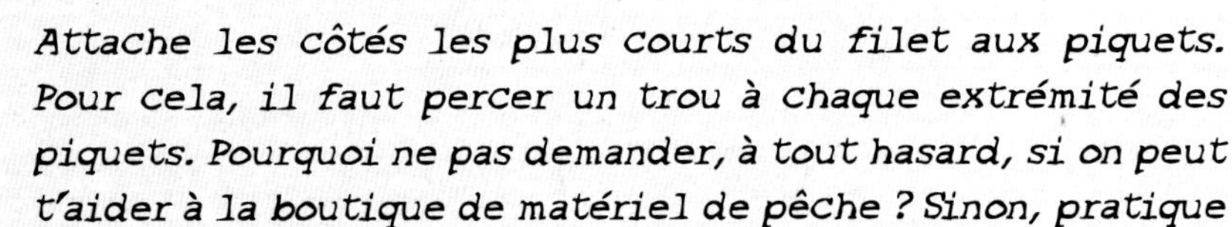

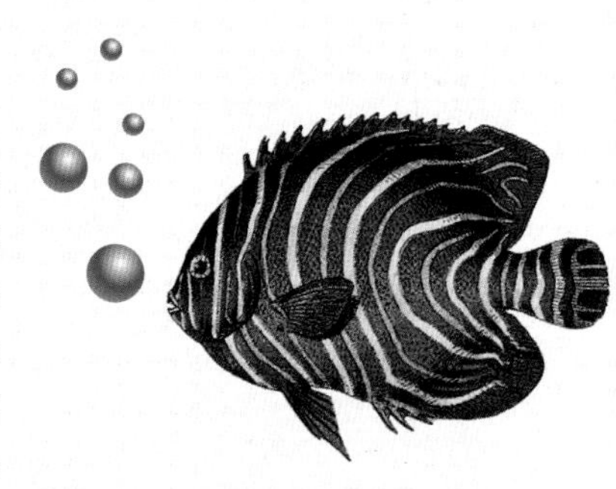

Attache les côtés les plus courts du filet aux piquets. Pour cela, il faut percer un trou à chaque extrémité des piquets. Pourquoi ne pas demander, à tout hasard, si on peut t'aider à la boutique de matériel de pêche ? Sinon, pratique une entaille à l'aide de ton couteau suisse et enroule la fine corde qui se trouve aux coins du filet. Mais tu peux aussi bien ne pas faire l'entaille et simplement enrouler la corde très serrée. Si les coins du filet ne sont pas déjà munis de cordelette, à toi d'en fixer une petite longueur.

Quelqu'un doit rester sur le rivage pour tenir l'un des piquets. Celle qui tient le second piquet devra avancer dans l'eau jusqu'à ce que le filet soit bien tendu. Le haut du filet doit rester à la surface, tandis que le bas se trouve sous l'eau.
Laisse passer un peu de temps, puis reviens vers le rivage en maintenant le filet bien tendu. En revenant vers le rivage, celle qui tient le second piquet doit lentement passer le filet de la verticale - position dans laquelle il permet d'attraper les poissons et autres splendides créatures marines - à l'horizontale.

Si tu n'as rien attrapé, change de position ou de lieu de pêche. Avec ta partenaire, vous pouvez vous avancer un peu plus loin dans la mer ou bien, si vous vous trouvez dans une rivière, vous déplacer vers l'aval.

COQUILLAGES

Voici deux méthodes pour les nettoyer afin de les conserver dans ta malle aux trésors.
1. Enterre les coquillages à une trentaine de centimètres de profondeur dans ton jardin et laisse travailler les vers de terre et autres bactéries contenues dans le sol. Cela peut prendre plusieurs mois.
2. Demande l'aide d'un adulte pour les faire bouillir cinq minutes dans une grande casserole remplie à moitié d'eau et à moitié d'eau de Javel. Quand les coquillages sont propres, il faut les sortir de l'eau délicatement, à l'aide d'une pince, puis les rincer à l'eau froide.

Après les avoir admirées, remets vite toutes les créatures à l'eau afin que les araignées, les étoiles de mer, les bigorneaux et autres petites prises retrouvent leur élément. Dans de nombreuses localités, la loi oblige à remettre à l'eau tout animal marin, sans quoi tu risques d'avoir à payer une forte amende !

RICOCHETS

Trouve un caillou lisse, plat et rond. Mets la face la plus plate vers le dessous et place ton index autour d'un bord. Effectue ensuite un lancer latéral en te positionnant assez bas et parallèlement à la surface de l'eau. Le mouvement du poignet intervient au dernier moment, avant le lâcher, et avec un léger effet. Le caillou doit toucher l'eau à un angle d'environ 20°. Entraîne-toi jusqu'à ce que le caillou rebondisse plusieurs fois sur l'eau.

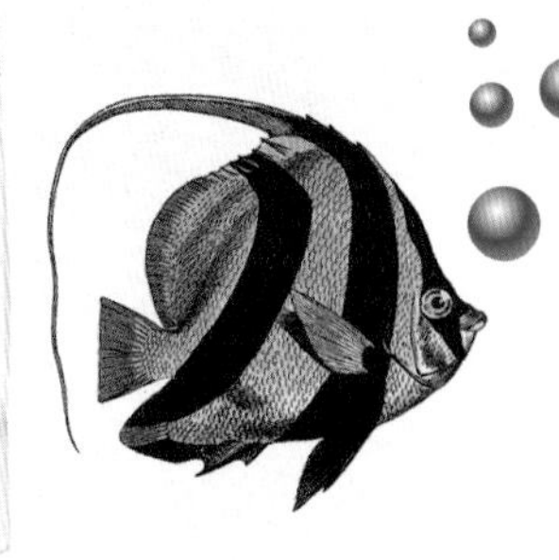

1. Spinosella 2. Philosiphonia 3. Hyalonème 4. Dicymba 5. Agalme 6. Cristallodes 7. Arethusa 8. Physalia 9. Atolla 10. Céphée 11. Sanderia 12. Periphylla 13. Halicreas 14. Chrysaora 15. Rhizostoma 16. Aglisera 17. Colobonema 18. Équorée 19. Liriope 20-21. Disconalia 22. Béroé 23-25. Actinia 26. Dendrophyllia 27. Pteroides 28-29. Melithea 30. Astrophyton 31. Pentaceros 32. Pentacrine 33. Heterocentrotus 34. Encope 35. Rotule 36. Trochosoma 37. Holoturie 38. Arénicole 39. Branchiomma 40. Ampharete 41. Aphrodite 42. Phyllodoce 43. Cynthia 44. Botrylle

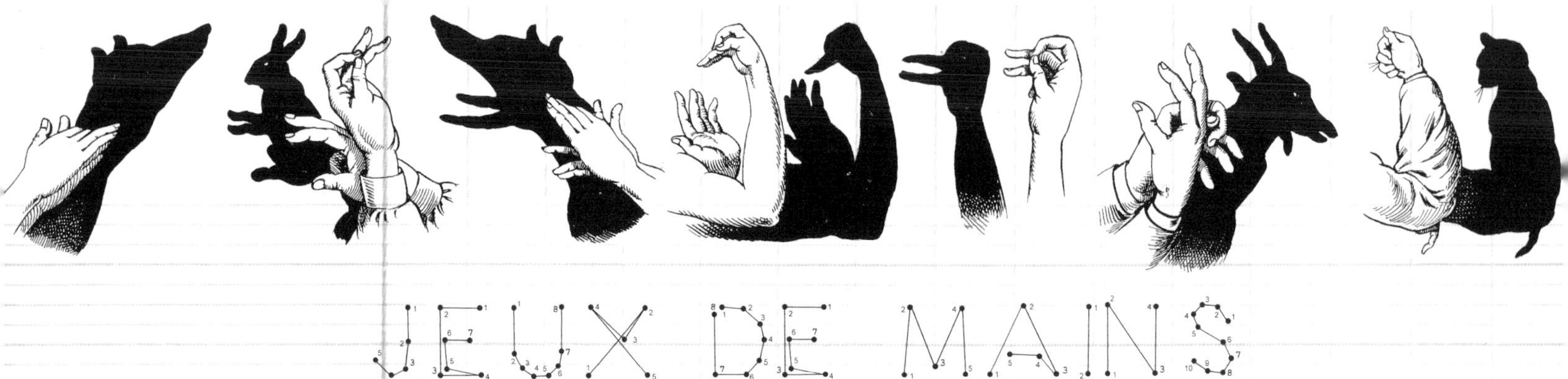

JEUX DE MAINS

Les jeux de mains frappées et les chansons qui les accompagnent appartiennent à une longue tradition orale. Parmi les innombrables comptines scandées par les joueuses, certaines mettent en scène des personnages ou des animaux fabuleux, d'autres parlent d'amour, d'argent ou de pouvoir, d'autres encore comportent des « gros mots » ou sont dans une langue inventée. En voyageant ou en liant de nouvelles connaissances, tu découvriras sans doute mille et une variantes amusantes de jeux de mains frappées.

Le principe

Dans le plus élémentaire des jeux de mains frappées, deux personnes se font face. Chacune lève la main droite, paume en avant, et frappe la main droite de l'autre, puis tape dans ses propres mains. Ensuite chaque joueuse lève la main gauche pour frapper la paume de la main gauche de sa partenaire et tape de nouveau dans ses mains. On répète cet enchaînement de gestes jusqu'à la fin de la comptine chantée. (On peut aussi commencer en tapant dans ses mains, puis toucher la main droite de sa partenaire, etc.).

Bras croisés

Croise les bras sur ta poitrine. Décroise-les et tape des mains sur tes cuisses, tape dans tes mains, de la main droite, frappe la main droite de ta partenaire, tape dans tes mains ; de la main gauche, frappe la main gauche de ta partenaire, tape dans tes mains, frappe la main droite de ta partenaire, puis recroise les bras et recommence depuis le début. On continue ainsi jusqu'à la fin de la comptine !

De haut en bas

Commencez face à face, les mains droites levées, paumes tournées vers le bas, et les mains gauches baissées, paumes tournées vers le haut. Baissez les mains droites et levez les mains gauches pour les frapper ensemble. Ensuite, faites la même chose en position inverse : vos mains gauches sont en haut, paumes tournées vers le bas, et vos mains droites en bas, paumes tournées vers le haut. Baissez les mains gauches et levez les mains droites pour les frapper l'une contre l'autre. Puis, frappez les paumes devant vous, tapez dans vos mains, et recommencez depuis le début jusqu'à la fin de la comptine. (Variante : frapper en suivant les indications précédentes puis, après avoir tapé dans ses propres mains, frapper les mains droites l'une contre l'autre, taper dans ses mains, frapper les mains gauches l'une contre l'autre, taper dans ses mains et recommencer depuis le début.)

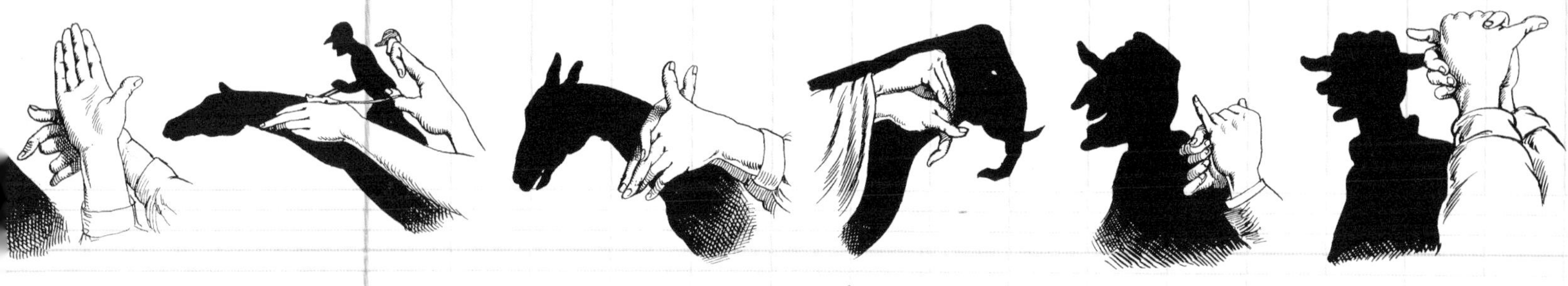

COMPTINES

Ah méli méli méli mélo
Partir pour Bornéo
Tchou tchou ! Ah ce que c'est rigolo ha ha
Bigoudi bigouda, c'est la fête à mon papa
Caramel au chocolat
Le lendemain matin, matin, matin
Je me suis réveillé, réveillé
A cause d'un petit bébé, areu
Qui ne voulait pas manger, beurk
La soupe au cornichon, cornichon
Ma mère est boulangère, miam miam
Mon père est policier
Arrêtez, circulez, donnez-moi tous vos papiers
Mon frère est un cow-boy, pan pan
Ma sœur est une crâneuse, crâneuse
Et moi je suis un petit cochon
avec la queue en tire-bouchon

Dans ma maison sous terre
O ma oé, o ma oé,
O telle telle ouistiti
O telle telle ouistiti
One two three

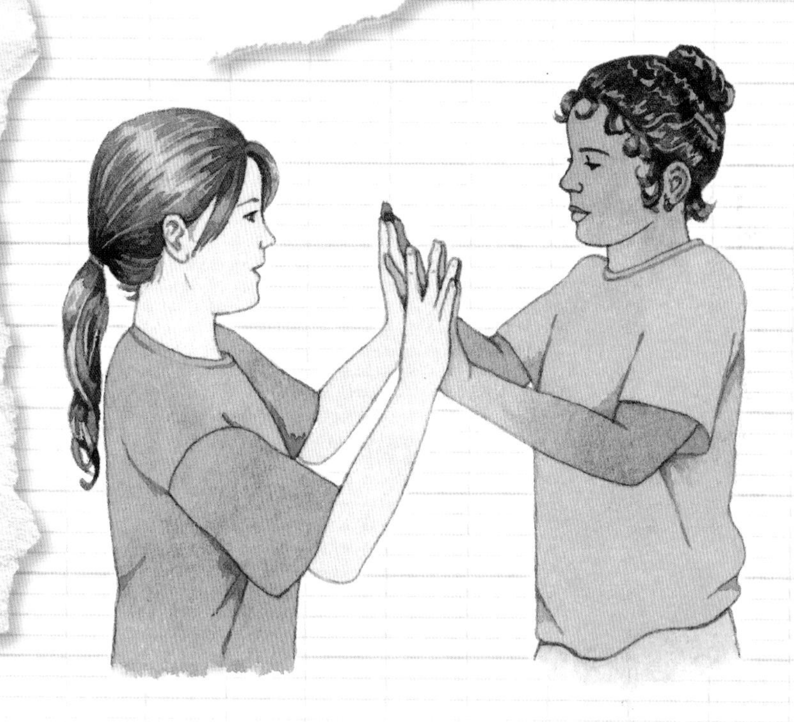

Dam dam
minimini
dé dé si si olé olé
ouakao minimini yéyé
minimini ouakao minimini yéyé
Au kobaque à hokobaque
A hokobaque à tchoum
Au kobaque à hokobaque
A hokobaque à tchoum

Pépito, c'est un capitaine, capitaine d'un navire
C'est un capitaine, capitaine d'un bateau
Héli, hélo, plonger sous l'eau
Trésor caché, remonter à bord, bord, bord, bord, bord
du cacao tout chaud, chaud, chaud, chaud
Tous les passagers sont tombés à l'eau
Sauf Pépito, car c'est le plus beau

N

O E

S

Les exploratrices

Parmi les femmes qui ont voyagé aux quatre coins du monde, Alexandra David-Néel et Amelia Earhart sont de celles dont on ne peut ignorer le destin extraordinaire. Déterminées, infatigables et intrépides, elles ont été au bout de leur passion... Avis aux aventurières en herbe !

En 1924, Alexandra David-Néel, née Louise Eugénie Alexandrine Marie David (1868-1969) est la première Européenne à se rendre dans la ville interdite de Lhassa, au Tibet, encore fermée aux étrangers. L'exploratrice française a écrit plus de trente livres consacrés aux religions et à la philosophie orientales, ainsi qu'à ses voyages.

À 18 ans, elle s'est déjà rendue seule en Angleterre, en Espagne et en Suisse, et à 22 ans elle est partie pour l'Inde, n'en revenant qu'un an plus tard, une fois son argent entièrement dépensé. Après avoir épousé Philippe Néel, ingénieur des chemins de fer, en 1904, elle repart pour l'Inde en 1911 pour étudier le bouddhisme au monastère royal du Sikkim, où elle se lie d'amitié avec le prince Sidkéong Tulku. En 1912, elle rencontre par deux fois le treizième dalaï-lama. Elle poursuit sa recherche spirituelle en passant deux ans dans une grotte du Sikkim, près de la frontière tibétaine. C'est là qu'elle fait la connaissance du jeune moine Aphur Yongden, qui deviendra son compagnon de voyage et son fils adoptif. Ils parcourent le Japon et traversent la Chine pour arriver déguisés en pèlerins à Lhassa, au Tibet, en 1924. Leur séjour dure deux mois.

En 1928, Alexandra se sépare de son époux et s'installe à Digne, où elle passe dix années à écrire le récit de ses aventures. Elle reprend ensuite ses voyages, en compagnie de son fils adoptif. À 69 ans, elle traverse ainsi l'Union soviétique, la Chine et l'Inde, où elle poursuit son étude de la littérature tibétaine. Il lui faudra dix ans pour accomplir ce périple.

De retour à Digne en 1946, elle écrit de nouveaux livres et donne des conférences sur ses expéditions. À 82 ans, elle part une dernière fois, au début de l'hiver, au bord d'un lac situé à 2 240 mètres d'altitude dans les Alpes. Elle a vécu jusqu'à plus de cent ans, s'éteignant quelques jours avant son 101e anniversaire.

« La bravoure est encore la plus sûre des attitudes. Les choses perdent de leur épouvante à être regardées en face. »

Alexandra David-Néel

Née en 1897, Amelia Earhart va connaître une gloire internationale en étant la première femme pilote à réussir la traversée de l'Atlantique en solitaire.

Durant la Première Guerre mondiale, Amelia est aide-soignante à la Croix-Rouge. C'est alors qu'elle assiste aux premiers vols aériens et en est totalement fascinée. À propos de l'un des pilotes qui s'est amusé à frôler la foule, elle dira plus tard : « Je ne m'en suis pas vraiment rendu compte sur le moment, mais je crois qu'en passant tout près de moi ce petit avion rouge m'a parlé ! » L'année suivante, on lui propose un voyage en avion ; à peine quelques mètres dans les airs, et la voilà conquise ! Elle occupe ensuite différents emplois pour pouvoir s'offrir des leçons de vol avec l'aviatrice Anita « Neta » Snook. Six mois plus tard, elle acquiert son propre avion, un vieux biplan jaune qu'elle surnomme « le canari ».

En 1923, elle établit un record mondial : elle est la première femme pilote à atteindre une altitude de 4 600 mètres. Amelia devient la seizième femme pilote licenciée au sein de la Fédération aéronautique internationale (FAI). Non seulement elle bat des records d'aviation, mais elle crée également une organisation de femmes pilotes. Elle écrit aussi des best-sellers ! Elle est la première femme à traverser l'Atlantique, la première femme à effectuer cette traversée en solitaire et la première personne, hommes et femmes confondus, à réussir cet exploit par deux fois. Amelia Earhart est aussi la première femme à voler en autogire (ancêtre de l'hélicoptère), la première personne à traverser les États-Unis dans ce type d'aéronef, la première personne à effectuer la traversée en solitaire du Pacifique (entre Honolulu et Oakland, en Californie), la première personne à relier Mexico en solitaire depuis Newark (New Jersey) et la première femme à effectuer un vol sans escale d'une côte à l'autre des États-Unis.

Son dernier exploit demeure entouré de mystère et signe sa perte : en 1937, à 39 ans, Amelia Earhart disparaît au-dessus de l'océan Pacifique alors qu'elle tente de boucler le tour du monde. Malgré de longues recherches, elle ne sera jamais retrouvée.

FABRIQUER UNE BALANÇOIRE

Il te faut :

- Une planche de 200 x 600 mm
- De la corde
- Deux boulons à œil de 20 cm de longueur et de 10 mm de diamètre
- Quatre rondelles
- Une balle de tennis, une chaussette et de la ficelle
- Une perceuse et une mèche de 10 mm de diamètre

Le plus difficile est de trouver la branche adéquate. L'idéal serait qu'elle ait un diamètre d'au moins 20 centimètres. Ensuite, il te faut trouver une corde solide, suffisamment longue pour faire le tour de la branche, descendre jusqu'au sol et remonter. Évite d'installer ta balançoire sur un bouleau, car les branches de cet arbre sont glissantes et ploient facilement. Choisis de préférence un bon vieux chêne ou un platane. L'endroit où tu vas accrocher ta balançoire doit être suffisamment éloigné du tronc pour ne pas t'y cogner en te balançant, mais pas trop non plus, sans quoi la branche manquera de solidité.

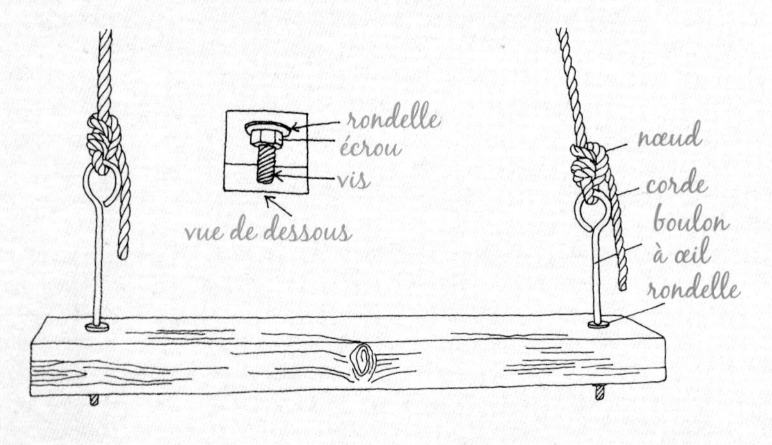

Ensuite, il faut installer la corde. Elle doit passer sur le dessus de la branche. Pour éviter de perdre des heures à essayer de viser en clignant des yeux à cause du soleil, nous te suggérons la méthode suivante. Place une balle de tennis dans une vieille chaussette, puis fais un nœud avec la corde. En visant bien, lance la chaussette lestée de la balle de façon à la faire passer au-dessus de la branche. Il te faudra sans doute plusieurs tentatives, mais c'est beaucoup plus facile que de simplement lancer la corde en l'air en direction de la branche.

Une fois l'objectif atteint, la chaussette atterrira à tes pieds, en ayant entraîné la corde avec elle. Tu peux recommencer l'opération pour doubler la longueur de la corde.

Reste le plus facile : l'installation du siège et le réglage des nœuds. Au centre de la planche, trace une ligne dans le sens de la longueur, et fais une marque à 5 cm du bord, de chaque côté. Ce sont les emplacements des deux trous à percer (pour cela, demande de l'aide à un adulte). Passe une vis dans chaque trou, place une rondelle sur le bois et une rondelle et un écrou en dessous, comme sur l'illustration. Noue les deux extrémités de la corde aux boulons. Si tu ne veux pas utiliser de boulon, tu peux aussi passer la corde elle-même dans les trous et la bloquer par de solides nœuds d'arrêt.

Fabriquer une plume

Plonge l'extrémité d'une plume pendant une minute ou deux dans de l'eau bouillante pour qu'elle ramollisse (sois très prudente avec l'eau bouillante, demande l'aide d'un adulte). Ainsi, tu pourras plus facilement la couper sans la fendre, ni la casser. Retire aussi quelques barbes – ce sont les filaments implantés dans l'axe creux et rigide de la plume – pour pouvoir la tenir bien en main.

Toutes ces opérations sont délicates et nécessitent de manipuler un couteau qui coupe ! Mieux vaut donc demander l'aide d'un adulte.

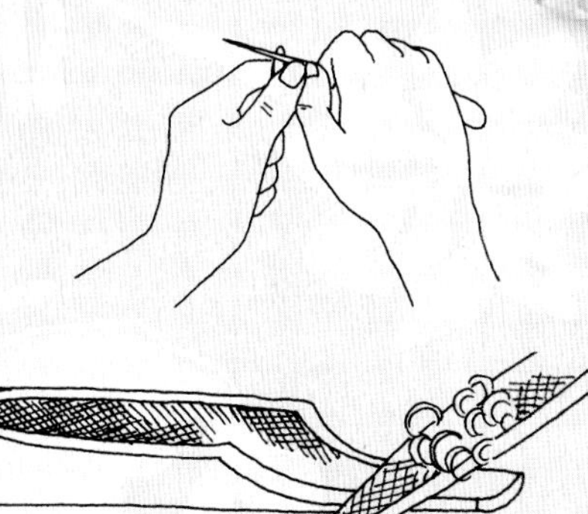

Puis coupe l'extrémité de la plume légèrement en biais, à 2 cm du bout.

Ensuite, il faut effectuer une seconde découpe encore plus en biais, à environ 1 cm du bout, pour faire le bec (la « pointe » de la plume), et nettoyer la partie creuse pour éliminer toute trace de duvet.

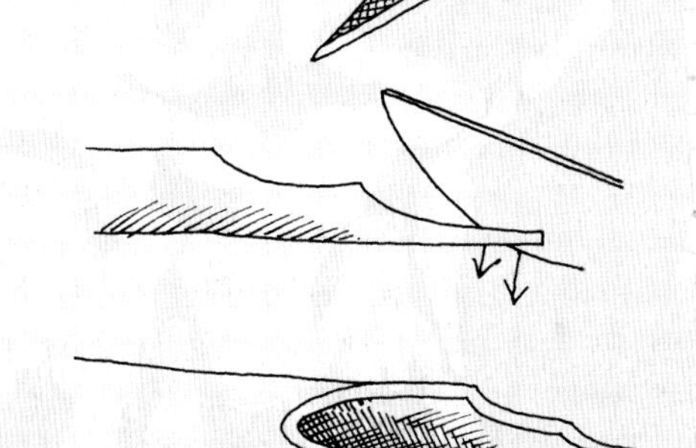

Toujours à l'aide du couteau, il faut maintenant fendre le bec en deux. Tu peux ensuite ouvrir légèrement la fente à l'aide d'un crayon en pressant délicatement par-dessous. Pose enfin le bec sur une surface plane et coupe tout droit la pointe de la plume. Pour finir, tu peux lisser les angles avec du papier de verre fin.

Écrire à la plume

Mieux vaut t'exercer sur du papier journal avant de t'aventurer sur les papiers fantaisie. Avant de commencer, tu peux tracer quelques lignes au crayon de papier qui te serviront de points de repère. Trempe la plume dans de l'encre et commence à écrire !

Tu verras qu'il ne faut surtout pas surcharger le bec, mais bien au contraire recueillir juste ce qu'il faut d'encre pour tracer quelques lettres à la fois. Sinon, gare aux taches et aux coulures !
Écrire à la plume est un loisir qui nécessite que l'on prenne son temps. En effet, l'encre sèche au fur et à mesure, et il faut imbiber le bec à chaque mot ou presque. Selon l'angle que tu donnes au bec et la manière dont tu tiens la plume, tes lettres seront plus ou moins épaisses. À toi d'expérimenter cette technique en laissant libre cours à ton imagination. Entraîne-toi avec ta phrase préférée – une citation célèbre ou un proverbe – jusqu'à ce que tu parviennes à l'écrire bien lisiblement. Et, lorsque cette technique n'aura plus de secrets pour toi, pense aux encres de couleur qui donneront à tes lettres un style incomparable.

FABRIQUER UNE BAGUE AVEC UN NOYAU DE PÊCHE

Les filles ne manquent jamais d'ingéniosité ! Pourquoi ne pas essayer de polir un noyau de pêche pour en faire une jolie bague ? Excellent prétexte, également, pour traîner dehors avec ses amies par un long après-midi d'été. Voici comment procéder :

1. Tout d'abord, déguste une pêche !

2. Frotte ensuite le noyau sur le bitume, d'avant en arrière et de chaque côté. Même si tu as l'impression que ce n'est pas très efficace, cela enlève de microscopiques fibres.

3. Si tu persévères, les côtés du noyau vont finir par s'aplatir et tu pourras apercevoir la graine qui se trouve à l'intérieur du noyau, et que l'on appelle « amande ».

4. Lorsque le noyau est bien plat, la bague est presque réalisée ! Lisse un peu le haut et le bas, puis frotte l'intérieur à l'aide d'un bâton.

Idée « jardinage »

Si tu ne veux pas de bague (ou si tu manges une autre pêche), tu peux toujours planter le noyau. Pour cela, nettoie-le, range-le dans un sac en plastique et place-le au réfrigérateur. Au début de l'automne, plante-le à 15 cm de profondeur. Au printemps, avec un peu de chance, tu verras pousser un petit pêcher ! Et si tu penses à l'arroser avec un peu d'engrais de temps à autre, l'arbre donnera peut-être des fruits dans quelques années.

FABRIQUER UN SIFFLET

Il te faut :

- une brindille de saule bien ronde, droite et lisse d'environ 20 cm de longueur
- un couteau bien aiguisé
- de l'eau

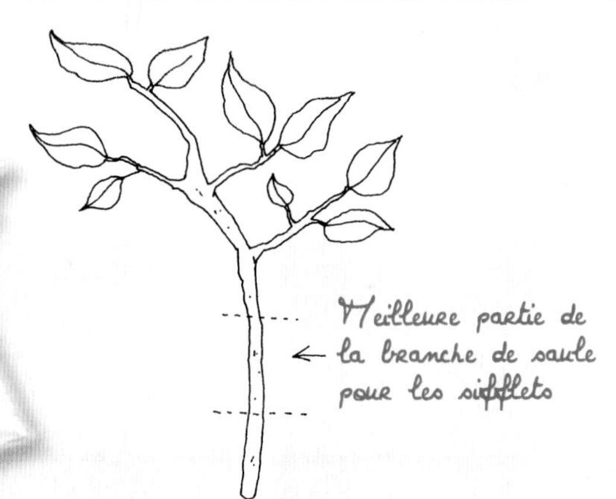

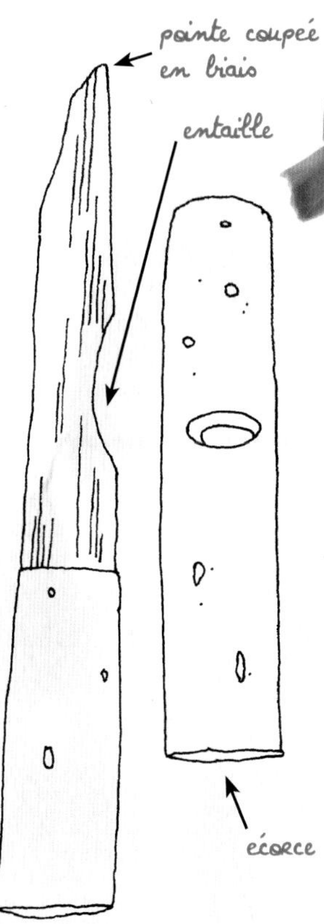

• Il te faut d'abord trouver une brindille de saule droite et ronde, dépourvue de branches, d'environ 2 cm d'épaisseur et 20 cm de longueur. Avec ton couteau suisse, coupe l'une des deux extrémités de la brindille en biais pour faire l'embout du sifflet. Puis coupe la pointe.

• Sur le dessus de la brindille, du côté opposé à l'extrémité coupée en biais, fais une petite entaille dans le saule, juste derrière l'endroit où se termine la partie en biais. À un peu plus de la moitié de la tige, découpe un anneau autour de la brindille en prenant soin de ne couper que la partie extérieure de l'écorce, sans entailler le bois.

• Trempe le bois dans de l'eau, tapote-le avec le couteau pour que l'écorce se détache puis retire-la en la faisant délicatement tourner. N'essaie pas de tirer dessus, de la déchirer ou de la fendre, car il faudra la remettre ensuite sur la brindille. En attendant, plonge l'écorce dans l'eau pour qu'elle reste humide.

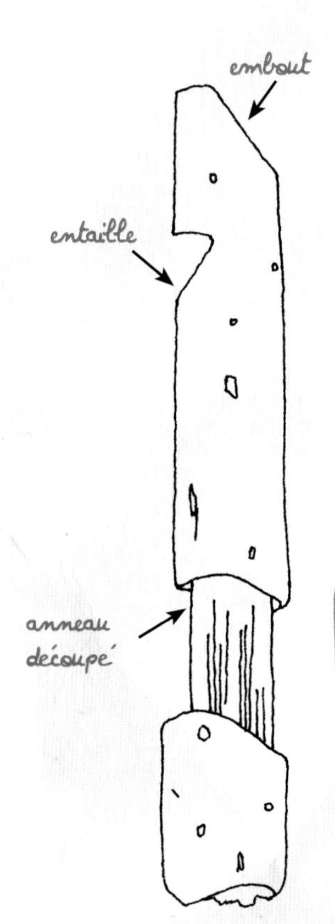

• Revenons à l'entaille pratiquée sur le dessus de la brindille. Approfondis-la et prolonge-la jusqu'à l'endroit de la brindille encore entourée de son écorce. La longueur et la profondeur de cette entaille déterminent la tonalité du sifflet. Polis légèrement le bois sur le dessus de l'embout pour qu'il soit bien plat.

• Plonge l'extrémité dénudée de la brindille dans un verre d'eau puis replace l'écorce dessus.

• Il ne te reste plus qu'à tester ton sifflet. Il te faudra sans doute plusieurs essais pour pouvoir siffler comme un pinson, mais, avec un peu de persévérance, ton sifflet en bois de saule fonctionnera sans problème. S'il se dessèche, tu pourras lui redonner vie en le faisant tremper dans l'eau. Pour éviter d'en arriver là, le mieux est encore de conserver ton sifflet dans un linge humide.

Comment siffler avec deux doigts ?

Les paumes des mains tournées vers toi, rapproche les extrémités de tes auriculaires. Place les bouts de tes auriculaires sous ta langue, au centre, puis replie ta langue à l'endroit où se touchent tes doigts et rentre-les dans ta bouche jusqu'au niveau de la première phalange. Baisse légèrement les extrémités de tes auriculaires en maintenant la pression sur ta langue. Pince tes lèvres et siffle ! Il faudra peut-être ajuster l'angle formé par tes doigts pour obtenir un son correct, mais, avec un peu d'entraînement, tu verras qu'avec seulement deux doigts tu arriveras à héler un taxi sans problème !

Observer les oiseaux

Il n'est pas aussi difficile qu'il n'y paraît d'observer les oiseaux. En effet, il y a des oiseaux partout – faciles à repérer et amusants à regarder. En général, les amateurs d'ornithologie tiennent un journal, dans lequel ils notent toutes sortes d'observations. Pour les imiter, commence par noter sur un petit carnet à spirale le nom des oiseaux que tu rencontres, ou bien dessine leurs principales caractéristiques et cherche ensuite à les identifier grâce à un ouvrage spécialisé. Tout ce dont tu as besoin, c'est une paire de jumelles, un guide sur les oiseaux, des vêtements confortables, ton journal – et un peu de patience, car, pour bien les observer, il faut se fondre dans l'environnement. Voici comment identifier quelques-uns de ceux que tu peux apercevoir facilement.

La mésange

Ses couleurs peuvent être très différentes selon les espèces. La mésange charbonnière, la mésange nonnette et la mésange bleue cohabitent harmonieusement dans nos jardins. Chaque espèce habite un étage différent de l'arbre : la charbonnière loge en bas, la nonnette au milieu et la mésange bleue en haut. La mésange charbonnière se caractérise par sa calotte noire, ses joues blanches, son dos verdâtre et une bande noire le long de la poitrine et du ventre jaunes. La nonnette est un petit oiseau au corps gris-brun pourvu d'une calotte noire jusqu'à la nuque, d'un petit menton noir sous le bec et de joues blanchâtres. Ses flancs sont de teinte crème. La mésange bleue (représentée ici) est reconnaissable au bleu de sa calotte, de ses ailes et de sa queue. Le reste du corps est brun verdâtre et jaune sur la poitrine.

Le rouge-gorge

Il est brun, avec le cou et la poitrine rouge vif, on l'appelle aussi parfois « rubiette ». Le rouge-gorge chante de bonne heure le matin ou bien la nuit, principalement pour attirer la femelle et défendre son territoire. Il chante toute l'année, sauf à la fin de l'été, époque de sa mue. On l'aperçoit souvent près des habitations. Il capture les vers dans la terre fraîchement creusée et entre parfois dans les maisons.

Le bouvreuil

Le bouvreuil vit dans les bois et les jardins, et a une prédilection pour les conifères. Il se nourrit de fruits et de graines. On reconnaît le mâle à son ventre rouge et la femelle à son ventre rose. Le plumage du dos est gris-bleu, les ailes et la queue sont noires ainsi que le dessus de la tête. Cet oiseau discret se repère à son chant dépouillé : un bref sifflement, doux et mélancolique, sur une seule note.

Le chardonneret

Cet oiseau chanteur à la tête rouge et au plumage noir, jaune et blanc se nourrit principalement de graines de chardon. Il aime le bord des routes et les terrains en friche, mais il visite aussi les jardins, les vergers et autres lieux cultivés. Pendant que le mâle mange, la femelle fait le guet et inversement.

Le pinson

Son dos est majoritairement noir, et sa gorge est rouge. Son chant est très mélodieux : ne dit-on pas « être gai comme un pinson » ? Plutôt sédentaire, il fréquente les forêts de feuillus et de conifères, les parcs, les grands jardins, les vergers et les haies.

Le verdier

Le verdier mâle doit son nom à son plumage vert olive relevé de gris et de jaune. De la taille d'un moineau, il est pourvu d'un bec puissant, typique des oiseaux se nourrissant de graines. Le jaune du bord des ailes et de la queue est surtout visible lorsqu'il vole. Plus terne, la femelle présente un gris-vert uniforme avec une barre d'un jaune plus pâle et moins large sur les ailes.

Le merle

Commun dans les parcs et les bois, il affectionne aussi les jardins, surtout l'hiver, lorsqu'il est à la recherche de nourriture. Bien qu'insectivore, cet oiseau adore aussi les graines et les miettes tombées sur le sol.

L'hirondelle

L'hirondelle a un manteau noir bleuté aux reflets métalliques, une poitrine blanche, un front et une gorge brun-roux ; une queue échancrée tachée de blanc.

C'est un oiseau migrateur, qui part à la fin du mois d'août en Afrique pour ne revenir que vers mars ou avril.

En hiver, les oiseaux passent l'essentiel de leur temps à rechercher de la nourriture, ne serait-ce que pour conserver leur chaleur corporelle. Pourquoi ne pas les aider à survivre ? Au moment des grands froids, dispose en hauteur, dans un arbre ou aux fenêtres, de petits filets garnis de graines variées et adaptées à leurs besoins... Tu pourras d'autant mieux les observer !

Quelques bases de Karaté

Le karaté est un sport de combat et un art martial d'origine japonaise. Il se pratique à mains et pieds nus, et les coups ne sont pas portés, c'est-à-dire qu'ils sont arrêtés avant de toucher l'adversaire. Voici quelques bases pour t'entraîner avec tes amies.

Le coup de pied avant

Le coup de pied avant est la plus puissante des attaques. Monte le genou gauche au niveau de la taille, puis tends la jambe droite. Celle-ci doit être fermement maintenue au sol afin de faire contrepoids pendant que tu donnes ton coup de pied. Les bras doivent rester près de la poitrine. Essaie d'abord le coup de pied rapide, puis effectue le mouvement plus lentement pour lui donner plus de force.

Vocabulaire

- Chudan : partie moyenne du corps (poitrine, ventre, dos)
- Dojo : salle d'entraînement
- Hansoku : disqualification de l'adversaire
- Jodan : partie supérieure du corps (tête et cou)
- Karatéka : celui qui fait du karaté
- Kata : enchaînement de mouvements, de coups, de parades, réalisé hors combat, pour s'entraîner.
- Kiai : cri poussé par la karatéka pour libérer son énergie

Le coup du talon du pied

Place-toi debout dans une position confortable. C'est avec la jambe droite que tu donneras le coup de pied. Plie légèrement la jambe gauche (ta jambe d'appui) pour te maintenir en équilibre. Regarde par-dessus ton épaule droite. Plie le genou droit, vise ta cible avec le talon et donne un coup de pied haut en arrière. Le regard est très important pour cette technique offensive. Ne lâche pas ta cible des yeux pendant que tu envoies le pied en arrière, jambe tendue. Ramène la jambe par le même chemin que pour le coup de pied, puis change de jambe.

En bref

Le combat se déroule dans un carré de 8 mètres de côté et dure de 2 à 3 minutes. La couleur de la ceinture indique le grade du karatéka. Plus elle est foncée, plus le grade est élevé. Dans l'ordre, tu seras ceinture blanche, jaune, orange, verte, bleue, marron et noire.

LE COUP DE POING ARRIÈRE

Positionne-toi debout, les pieds écartés de la largeur des épaules. La jambe droite tendue, avance la jambe gauche en fente avant, le genou plié. Tends le bras droit devant toi, le poing replié et tourné vers le bas. Le bras gauche est replié et collé au corps, et le poing gauche est fermé et tourné vers le haut. Maintenant, donne un coup de poing avec le bras gauche en tournant le poignet vers le bas et en tendant complètement le bras devant toi. Pendant que le bras gauche se tend, le bras droit se replie, le poing fermé vers le haut. Alterne les coups de poing.

LE SABRE DE MAIN

Ouvre la main droite, la paume vers le plafond et les doigts pointés vers l'avant. Ils doivent être légèrement serrés. Referme le pouce à l'intérieur de la paume et plie-le. Arque légèrement la main en arrière. Monte-la à hauteur d'épaule. Brandis-la avant de l'abaisser en diagonale afin de frapper ta cible avec le côté de la main.

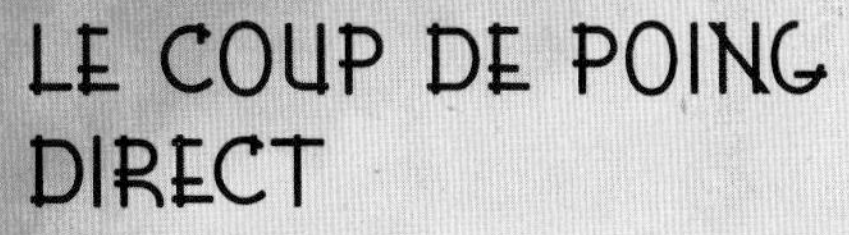

LE COUP DE POING DIRECT

Les pieds écartés de la largeur des épaules, place la jambe gauche devant la jambe droite et plie le genou. La jambe droite reste tendue. Puis avance le pied droit d'un pas ; au moment où le pied droit touche le sol, donne un coup de poing en avant avec la main droite. Pour avoir plus de force, au moment où tu tends le poing droit, ramène la main gauche en arrière, au niveau des côtes, le poing fermé vers le haut. Ramène le poing d'attaque près du corps avant de changer de jambe.

Autres arts martiaux
- Le judo
- Le kung-fu
- Le jujitsu
- L'aïkido
- Le kendo

Les premiers secours

Quand on mène une vie pleine d'aventures, les accidents ne sont pas rares, c'est pourquoi une fille audacieuse se doit de connaître les gestes qui sauvent – même si elle s'attache à sortir toujours indemne des batailles qu'elle mène ! Bien que les informations qui suivent ne remplacent en aucun cas une intervention médicale par des professionnels, il y a des gestes que tout le monde peut faire pour venir en aide à un blessé.

Les premiers soins

Les trois points les plus importants à vérifier quand une personne est blessée sont, dans l'ordre :
Respire-t-elle ?
Saigne-t-elle ?
Présente-t-elle des fractures ?

Les premiers P.A.S. (Protéger, alerter, secourir)

Retenir ces trois verbes te permettra d'aider une personne en danger. Pour ne pas aggraver la situation et pour être capable d'aider efficacement, il faut en effet :
1. Veiller à ne pas se mettre soi-même en danger et à ne pas commettre une action qui risquerait de mettre en danger des tiers.
2. Prévenir les secours le plus rapidement possible.
3. Supprimer le danger si cela est possible, ou à défaut le neutraliser afin d'éviter un suraccident (éviter que l'état de la victime ne s'aggrave ou qu'une autre personne ne soit blessée).

La R.C.P.

R.C.P. signifie réanimation cardio-pulmonaire. Elle est nécessaire lorsque le cœur ou la respiration d'une personne se sont arrêtés. Pour pratiquer le bouche-à-bouche, bouche le nez de la victime en lui pinçant les narines et plaque ta bouche hermétiquement sur la sienne. Expire deux fois. Vérifie ensuite son pouls au niveau de la carotide (artère du cou, située sous la mâchoire) pendant 5 à 10 secondes. En l'absence de pouls, place la personne sur le dos et procède à un massage cardiaque. Pour cela, une main posée sur le haut de la poitrine et l'autre en bas, effectue 15 pressions, à environ une seconde d'intervalle. Alterne avec deux insufflations par bouche-à-bouche. Répète le tout 4 fois, en alternant 15 pressions des mains et 2 insufflations. Au bout d'une minute, vérifie de nouveau le pouls et la respiration. Si tu peux percevoir le pouls, cesse le massage cardiaque.

La L.V.A.

La L.V.A., ou libération des voies aériennes, est l'un des premiers gestes à entreprendre si la victime :
- ne parvient pas à respirer ;
- n'émet aucun son (ni parole, ni toux, ni sifflement) ;
- garde la bouche ouverte et porte les mains à son cou.

Dans ce cas, il faut :
- dégrafer les vêtements susceptibles de gêner sa respiration ;
- basculer doucement sa tête vers l'arrière (une main posée sur le front, 2 doigts sous le menton) ;
- inspecter l'intérieur de sa bouche et en retirer les corps étrangers.

Si la personne ne respire pas, vérifie son pouls au niveau du cou, entre le larynx et le muscle latéral, ou à l'intérieur de son poignet. En l'absence de respiration et de pouls, alerte les secours et commence la R.C.P.

R.A.C.E.

Te souvenir du sigle R.A.C.E. (repos, application de glace, compression et élévation) te permettra d'entreprendre des gestes essentiels en cas d'entorse, par exemple.

R : repos
Le membre blessé doit rester au repos jusqu'à ce que la douleur et le gonflement disparaissent (1 à 3 jours).

A : application de glace
Place une serviette humide sur la zone blessée, puis de la glace (sachet de glaçons, sac de légumes surgelés…).

C : compression
À l'aide d'un bandage, exerce une pression sur la blessure jusqu'à ce que le gonflement disparaisse. Commence le bandage à quelques centimètres sous la blessure et remonte en spirale.

E : élévation
Essaye de maintenir la blessure plus haut que le cœur.

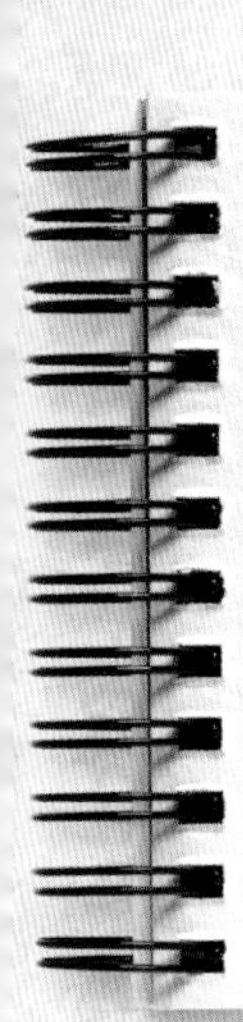

Brûlures et coupures

Les brûlures du premier degré correspondent à une peau rougie. Lors de brûlure au second degré, une ampoule apparaît. Dans les brûlures au troisième degré, la peau est carbonisée. Les brûlures du premier et du second degré se traitent par immersion dans l'eau froide puis par application d'un pansement stérile.

Dans tous les cas, il ne faut jamais appliquer ni glace, ni beurre, ni huile.

En cas de coupure, rincer la zone sous l'eau froide. Arrêter le saignement en appliquant de la gaze stérile.

Étouffement

Si tu vois une personne s'étouffer, encourage-la à tousser fort pour expulser ce qui obstrue sa gorge. Si la toux est faible ou inefficace, pratique la manœuvre de Heimlich.

Debout derrière la personne, passe un bras autour de sa taille, sous la cage thoracique. Ferme le poing et pose le pouce juste au-dessus de son nombril. De ton autre main, attrape ton poing. Dans cette position, serre fortement tes bras plusieurs fois. Ce mouvement provoquera l'ascension du diaphragme, l'expulsion de l'air contenu dans les poumons et la toux.

Urgences

Note la liste des numéros importants et place-la à côté du téléphone. De cette manière, en cas d'accident, tu pourras contacter rapidement ton médecin de famille, le centre antipoison, les pompiers, le SAMU (Service d'aide médicale urgente) ou la police. Le 15 est le numéro du SAMU, le 18 celui des pompiers et le 112 est à composer par les ressortissants des pays européens lorsqu'ils ne se trouvent pas dans leur pays. Si tu n'es pas sûre du caractère urgent de la situation, la règle à observer est la suivante : au moindre doute, j'appelle.

Que dire quand on appelle les secours ?

- Parle aussi calmement que possible.
- Donne précisément l'adresse d'où tu appelles.
- Indique la nature de l'urgence (feu, accident, blessure…).
- Écoute ton interlocuteur et suis bien ses instructions.
- Ne raccroche pas la première.

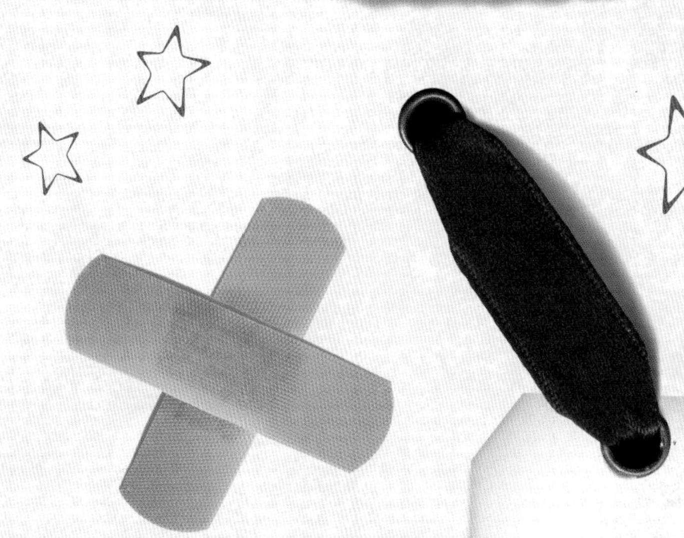

La trousse de premiers secours

Voici ce qu'elle doit contenir :

- Un assortiment de pansements adhésifs de différentes tailles
- Des bandes Velpeau
- De la gaze et du sparadrap
- Des lingettes antiseptiques
- Des compresses
- Des épingles de sûreté
- Une paire de ciseaux à bouts arrondis
- Une crème antibiotique
- Une pince à épiler
- De l'aspirine, du paracétamol, un antihistaminique (contre les piqûres d'insectes ou les réactions allergiques).
- Les médicaments prescrits par le médecin, une liste du contenu de la trousse, la liste des numéros de téléphone d'urgence et la liste des allergies et médicaments prescrits à chaque membre de la famille.

Crédits

h : haut — b : bás — d : droite — g : gauche — m : milieu

5hd Jacinthe. O. Ploton © Archives Larousse
8hg Anémones. O. Ploton © Archives Larousse
9 (enveloppe) Papiers découpés. J.-L. Charmet © Archives Larbor
11hd Lotus. O. Ploton © Archives Larousse
14hg *Enfant jouant au ballon*, Félix Vallotton, 1899, musée d'Orsay, Paris. © Archives Larbor
15bg Ballon © Archives Larousse
22hg Initiale du procès de réhabilitation (*Exigit Rationis…*), XVe s. BNF, Paris. © Archives Larbor
23hd Projet de vitrail pour la cathédrale d'Orléans, Lechevalier-Chevignard, XIXe s. © Archives Nathan
23bg Miniature, Martial d'Auvergne, vers 1484. BNF, Paris. © Archives Larbor
24hd Femme se faisant lire les lignes de la main. Avec la permission de la Bibliothèque publique de New York. © Fondations Astor, Lenox et Tilden
29hg La Grande Ourse © Archives Larousse
29bm Carte céleste. L. Blondel © Archives Larousse
30hd Pierre de Rosette, British Museum, Londres. © Archives Larousse
30mg Alphabet, musée du Jouet, Poissy. © Archives Larbor
35bd L'art d'écrire, l'*Encyclopédie*, D. Diderot © Archives Larbor
42hg, hd Acrobates. M. J. Vesque, 1928. ©Archives Larousse
43 (pochette) La Petite Sirène, XIXe s. Bibliothèque des Arts décoratifs, Paris. J.-L. Charmet © Archives Larbor
43hd (pochette) Développé, dégagé en seconde, ronds de jambes, positions des pieds, pirouette. © Archives Larousse
43hd (pochette) Battements, arabesque, plié, positions des bras. C. Jacquinet © Archives Larousse
48hg *La Petite fille aux fleurs*, puzzle, vers 1920, musée du Jouet, Poissy. J.-L. Charmet © Archives Larbor
49hg Jacinthe. O. Ploton © Archives Larousse
49m Lys. O. Ploton © Archives Larousse
49m Tulipe, narcisse. S. Sardier © Archives Larousse
49m Crocus. F. Guiol © Archives Larousse
49m Muguet. J. Saussette © Archives Larousse
49bg Tournesol. C. Beaumont © Archives Larousse
58hg Antoine et Cléopâtre. Collection des gravures, Département des Arts, Miriam et Ira D. Wallach, Bibliothèque publique de New York © Fondations Astor, Lenox et Tilden
58bd Cléopâtre, XIXe s. Louvre, Paris. J. Bottet © Archives Larbor
59m Denier d'argent, v. 32 av. J.-C., British Museum, Londres. © Archives Larbor
60hd Dimensions du panier © Archives Larousse

61m Raquette, tir en suspension © Archives Larousse
62-63 Les plans de trottinette sont inspirés et adaptés, avec l'aimable autorisation de Les Kenny, du site www.buildeasy.com, sur lequel figurent des plans de construction destinés aux enfants et aux adultes.
65bg Laia faisant son autoportrait, enluminure, XIVe s., BNF, Paris. © Archives Larousse
66md, bd Empreinte © Archives Larbor
66md Châtaignier. G.-L. Lucien © Archives Larbor - DR
67h Chêne. G.-L. Lucien © Archives Larbor - DR
67bm Empreinte © Archives Larbor
67bd Frêne. G.-L. Lucien © Archives Larbor - DR
67 (carte) Chêne, châtaignier, peuplier, orme, frêne, aulne. G.-L. Lucien © Archives Larbor – DR
67 (carte) Empreintes © Archives Larbor
68md Bienvenue © Archives Larousse
68bd G.-L. Lucien © Archives Larbor - DR
68bd Châtaignier. G.-L. Lucien © Archives Larbor - DR
70hg Fleurs. A. Marna © Archives Larousse
71 (pochette) Fleurs annuelles. M. Dessertenne © Archives Larousse
71 (carte) Fleurs. Millot © Archives Larousse
71 (carte) Plantes médicinales. M. Dessertenne © Archives Larousse
78 Poissons. A. Millot © Archives Larousse
79hg, hd Poissons. A. Millot © Archives Larousse
79 (pochette et carte) Océanographie. A. Millot © Archives Larousse
80h, md © Archives Larousse
81h © Archives Larousse
82 bd Alexandra David-Néel © Mary Evans Picture Library / Alamy
83bg Amelia Earhart © Bibliothèque du Congrès
83bd (dépliant) Avion de marchandises, 1920, musée de l'Air, Paris. © Archives Larousse - DR
84hg © Archives Larousse
85hd Cèdre. A. Millot © Archives Larousse
86h Rose. O. Ploton © Archives Larousse
87hd, bg L'art d'écrire, l'*Encyclopédie*, D. Diderot © Archives Larbor
90 Mésange. E. Mercier © Archives Larousse
90 Rouge-gorge. A. Rolland © Archives Larousse
90 Bouvreuil. C. Huerta © Archives Larousse
91 Chardonneret. A. Rolland © Archives Larousse
91 Pinson. A. Rolland © Archives Larousse
91 Verdier. J.-M. Pariselle © Archives Larousse
91 Merle. F. Crozat © Archives Larousse
91 Hirondelle et ses petits. E. Mercier © Archives Larousse

Avec tous nos remerciements à Laura Gross, Sam Stoloff, Phil Friedman, Matthew Benjamin, Stephanie Meyers. Merci également à toute l'équipe éditoriale, à Molly Ashodian et à ses amis, ainsi qu'à Barbara Card Atkinson, Rob Baird, Samira Baird, Dana Barron, Gil Binenbaum, Steve et Nurit Binenbaum, Rona et Nate Binenbaum, la famille Bromley-Zimmerman, Sarah Brown, Bill et Emi Buchanan, Elin Buchanan, Jessie Buchanan, Shannon Buchanan, Betsy Busch, Stacy DeBroff, Katie Dolgenos, Asha Dornfest, Ann Douglas, Eileen Flanagan, Marcus Geduld, la famille Goldman-Hersh, Kay Gormley, Sarah Heady, la famille Larrabee-O'Donovan, Jack's Marine, Jane Butler Kahle, Megan Pincus Kajitani, Les Kenny, Killian's Hardware, Andy Lamas, Jen Lawrence, Sara Lorimer, Rachel Marcus, Molly Masyr, Metafilter (surtout les femmes du blog Ask Metafilter), Jim Miller, Tracy Miller, Marjorie Osterhout, Myra et Dan Peskowitz, Deborah Rickards, Rittenhouse Lumber, Carol Sime, Lisa Suggitt de rollergirl.ca, Alexis Seabrook, Kate Scantlebury, Tom Sugrue, Carrie Szalay, Felicia Sullivan. Notre plus vive reconnaissance à tous ceux qui nous ont apporté conseils et inspiration, sans oublier naturellement la communauté des filles audacieuses !